COLLECTION
L'IMAGINAIRE

Philippe Sollers

H

Gallimard

Philippe Sollers est né à Bordeaux le 28 novembre 1936. Il fonde, en 1960, la revue et la collection «Tel Quel»; puis, en 1983, la revue et la collection «L'Infini». Il a notamment publié les romans et les essais suivants: *Paradis, Femmes, Portrait du Joueur, La Fête à Venise, Le Secret, La Guerre du Goût, Le Cavalier du Louvre, Casanova l'admirable, Studio, Passion fixe* et *Éloge de l'infini*.

qui dit salut la machine avec ses pattes rentrées son côté tortue cata socle ses touches figées accents toniques hors de strophe elle a rêvé cette nuit que je lançais la balle très haut et très loin elle ne s'arrête plus elle allume en passant les cerceaux disposés méridiens plus ronds quand elle les traverse et voilà la bombe qui retombe toute chaude enfumée grillée tiens on est en pleine montagne y a d'la poudreuse regarde les cristaux blancs violets sens cet air et en effet on enfonce les chevilles dans la plaine mousse pour la première fois l'hallucination goutte à goutte est vue du dedans découpée foulée cata cata catalyse ça fait des jours et des jours qu'elle fait la tête dans son coin sinistre mais ce matin en route c'est l'ouvert le creux décidé y a-t-il une autre forme non y aura-t-il réponse bien sûr que non personne et d'ailleurs le délire n'est pas le délire vas-y fais tourner la serrure l'absente serrure la clé qui n'existe pas alors c'est vrai on repart yes sir claquement du fouet du sifflet sévère et l'énorme est là quoi l'énorme quoi le tourbillon radium carrefour quoi encore et comment qui et quoi et comment pour qui et pour quoi encore qui comment vers où pour où ça décidément je ne suis pas né pour être tranquille j'ai pourtant fait ce que j'ai pu pour ne pas m'en apercevoir enfin cette fois ce sera peut-être la bonne on croit toujours ça en partant invocation début désir d'âge d'or transformer le filtre se verser le philtre que veux-tu il y a là quelque chose d'inguérissable double nœud qui te défait l'un mais pas l'autre négation du self de la mort bordel je me dis le moment est venu de s'enlever carrément au fourreau des membres de plus supporter la dictée par séries volées transvasées après tout j'ai ce phi flottant sur les lèvres comme l'autre infans avec la queue des vautours et si le huit revient sans fin quand je marche si je pense facilement à la liturgie si un son m'apparaît toujours accompagné surmonté ça vient du prénom impossible en même temps latin de mon père non tu ne trouveras pas je l'écris octave oui exactement comme in-octavo ce qui lui donnait pour signer ce o tournant sur lui-même suivi d'un point minuscule juste avant le j travaillé brodé genre glaïeul clocher clé de sol emportant oyaux en musique o.joyaux avec dessous le paraphe animé doublé relancé bref toupie de diamant liquide octave est aussi un mot du métier chez les joailliers peut-être une idée d'un des déviants d'la famille y en avait un qu'on disait bouddhiste alchimiste enfermé chez lui dans ses draperies évidemment le nom lui-même suffisait pour les exciter pourquoi parce qu'on y entend à la fois jeu joie juif jouissance par exemple ce joyaux messieurs ce joyaux que voulez-vous n'est pas une perle ou alors joyal noyau boyau aloyau ou alors sans x mais non pas joyeux joyaux avec un x comme xylophone ça n'ratait jamais vrais caniches borgnes serrés en nombril alors quoi vous pourriez pas vous appeler dupont martin ou chou-fleur comme tout le monde voyons si vous êtes à la hauteur dites-moi mais c'est pas brillant comme performance et ainsi de suite dans le style curé mou de

veau donc je m'appelle au pluriel philippe joyaux
bande de cons pas de doute autrefois sur les poubelles
ou les chèques postaux et quant à philippe filioque
procedit ne perdons pas l'fil peu importe la ribambelle
des rois le hardi l'auguste l'affreux le merdeux accu-
mulation en espagne donnant l'archipel féminisé phi-
lippines cadeau ambigu à son maître de l'aventureux
magellan bleu turquoise là-bas banlieue de manille
non restons maintenant sur le fric du père d'alexandre
mines villes du même nom où d'ailleurs brutus et cas-
sius furent battus par antoine et octave trésors permettant ensuite l'expédition vers l'asie philippei campi les
plaines de philippes attaques de démosthène pièces tête
d'apollon ou de zeus laurée ou encore perséphone avec
deux poissons revers de cavalier tenant palme légende
philippou de philippe sous-entendu nomisma passeport
dans le monde grec sacré banquier ce macédonien 359-
336 qui n'estimait pas de forteresse imprenable quand
un mulet chargé d'or pouvait y monter bref un cor-
rupteur de première comme l'autre le bel trafiquant
assassinant de molay fin des templiers tragédie pour
l'alighieri et sollers écho du surnom d'ulysse de sollus
tout entier intact ars ingénieux terrain travailleur fer-
tile lyrae sollers science de la lyre rêverie quinze ans
plage hiver en soignant comme par hasard une blen-
norragie building désert course dans les dunes odeurs
des pins sous les branches avec cette queue pleine de
pus regardant les vagues ainsi dans la bible on a le
même mot hébreu pour nu rusé éveillé c'est comme
ça que les corps communiquent avec le serpent de
l'intelligence quoi qu'il en soit j'ai dû disparaître vers
cette époque je l'entends gronder murmurer c'est mon
rythme langue sur la lagune rempart de béton envahi
de mouches difficulté à passer par les barbelés dich-
tung wahreit l'iliade est un champ ouvert en tous sens

étoiles mouvement réponse 1543 de revolutionibus orbium cœlestium la colombe revient avec les marins catagogie ça s'appelle sens de réflexion pour les sons les voix ou l'histoire dictionnaire kata en bas en dessous au fond du haut de mais aussi sur par exemple dans l'expression les ténèbres se répandirent sur ses yeux imposition serments transmission glissée sous les tranches mais aussi à l'intérieur de dans celui qui est sous terre le mort les dieux infernaux mais aussi pour marquer la direction le but en vue de ou alors contre et avec l'idée de temps pendant cependant ou encore pêle-mêle en sécurité en hâte vivement de force ou encore selon et composition en syncope on le trouve dans l'exclamation transporté de fureur bon tu veux te lever t'as envie de recommencer c'était l'époque où je grimpais d'un trait dans la chambre à l'extrémité du bâtiment l'océan s'étendait à perte de vue à droite le soleil frappait le mur sur la gauche je ne pouvais entrer qu'en courant comme si du palier jusqu'à la fenêtre l'aimant me forçait chaque fois à bondir en même temps je n'avais du dehors qu'une perception interrompue circulaire je n'arrivais pas à savoir si l'eau avait un horizon végétal la couleur verte était peut-être un simple reflet du volet l'existence du jardin n'était pas non plus assurée je sentais seulement que le vent devenait là ralenti sourd m'y voici de nouveau ça monte apprenons à la langue à chanter et elle aura honte de vouloir autre chose que ce qu'elle chante la limite supérieure est appelée qui mais il y a une autre limite en bas nommée quoi la première mi est recherche mais après le dernier degré voilà l'autre disant mâ qu'est-ce que tu as compris poursuivi tout est mystérieux comme avant tu n'as rien gagné sur ta pente allons byzance atlantide broiement des contours rythmô kai taxei lorsque la vue sera éblouie la lune disparaîtra le soleil

14

et la lune seront réunis par rafales il n'y aura qu'un seul cri et voilà ils se retrouveront à la surface et celui qui recevra son livre dans la main droite ça pourra aller mais celui qui le recevra derrière son dos paf zéro alors quoi vas-y dis-nous le rappel le matin dix nuits pair impair obscur écoulé les coursiers d'airain ici-bas raconte après c'est l'étendue de toujours avec profondeur effet qui viendra qui ça moi qui mais qui mais qui donc cicatrisé oh qui propulsé sur ces flancs rugueux en bougeant un peu on a l'interstice pas exactement dans les yeux pas exactement crevé dans la perspective ou même couleur avec temps de prendre mais léger progrès à chaque fois d'erreur en erreur jusqu'à l'erreur la plus dessinée qui peut alors passer pour une victoire corps basculant sur le côté laisse-toi couler c'est berceau pas grave cillement craquement d'articulations acide véritablement progrès mais cassure un peu plus haut ou plus bas davantage moins coupure en deçà au-delà refrain avec l'âge le cristallin jaunit la sphère devient non sensible cireuse intérieur des oreilles touchant dilué la vision réchauffant l'abcès vers la fin il faut mettre à l'intérieur maintenant ce qui est dehors sous forme dure circulation grues ponts poulies feu ascenseurs vitres mouillées alternance des ciels verre façades sur les tables le vin et l'eau cent mille aujourd'hui sur la place la police dit quinze mille voilà son hélicoptère le parti donne le même chiffre un peu plus peut-être stupéfaction hostile fermée d'ailleurs où est-ce que ça peut mener les ouvriers n'ont pas bougé rien à faire vous ne pouvez pas continuer camarades c'est l'impasse rien ne peut avancer de cette façon et pourtant elle tourne drapeaux rouges partout dans le vent soleil ils claquent il fait plus frais les immeubles commencent à s'ouvrir les bourgeois sur les balcons appareils à l'œil archivistes crie le petit qui chante depuis une heure dans son micro usé et tombé à la tâche vaincu tu terrasses la mort lié et tué par des lâches victoires c'est toi le plus fort plus fort victoire c'est toi le plus fort ta seule oraison camarade vengeance vengeance pour toi pour toi vengeance vengeance pour toi la foule reprend faiblement vingt voix trente voix chant déjà archaïque mauvais travail mobilisation vaseuse nostalgique avec fond ukrainien complètement inadapté à la situation concrète ils ne connaissent pas le morceau et pas davantage les autres couplets de l'internationale ami si tu tombes un ami sort de l'ombre à ta place il fait très beau maintenant les types des premiers rangs sont cachés sous leurs roses rouges avec les portraits plus sombres ça fait une belle coulée sous le ciel bleu avec silence mat entre les slogans silence couloir avec porte ouverte sur nuit soufflée d'autrefois de toute façon le parti a fait une grosse erreur politique gauchistes ou pas t'as vu le nombre oui mais sans cercueil c'est vrai rien n'est sûr tout le monde est étonné mais quand même quand même ça doit venir d'assez profond dans les masses pour que le truc éclate comme ça en plein jour un enterrement petit-bourgeois voilà faudrait la classe ouvrière peut-être peut-être mais quand même ils sont là et bien là pas ailleurs donc quelque chose demande demandait redemandera à être représenté de façon correcte quoi attention oui attention mais quand même ah voilà je vous attendais là mot d'ordre anticommuniste mais enfin merde qu'est-ce que ça veut dire tout de suite maintenant anticommuniste c'est abstrait ton réflexe réaction sclérose avec tous les problèmes à la clé mondiaux très mobiles qui est-ce qui voit la planète en ce moment les satellites point de vue sirius non la position révolutionnaire te donne le large et mouvement et cadence on a raison d'attaquer les révisos tu entends les masses ou tu les entends pas en train de pousser creuser s'enterrer dans chaque recoin spécifique mais l'ensemble ce serait pas toi par hasard non simplement faire passer un peu d'air sur la vieille peau qui raconte au fond tu veux l'écrire le faire et l'écrire reprendre le volume tu vois des romans d'aventures l'amener ici le plier l'étendre faire jouer les nouveaux rapports tiens regarde c'est ma manie de sortir vivant du tombeau je ne peux vraiment pas faire autrement c'est après que les ennuis commencent je les vois groupés à l'envers comme des bouquets à tête de bébés racines enchevêtrées en surface et vers le bas leurs bulles leurs balbutiements même une certaine fraîcheur ça m'a attendu longtemps mais aujourd'hui c'est immédiat ça tire sur la ligne de fuite mais est-ce qu'on peut mettre le tout en vrac en jet continu personne ne pourra naviguer là-dedans c'est sûr la ponctuation est nécessaire la ponctuation vieux c'est la métaphysique elle-même en personne y compris les blancs les scansions tant pis il faut que les acteurs fassent désormais un peu de gymnastique sans quoi on n'en sortira jamais ce sera toujours l'excuse de la locomotive des wagons qui suivent l'histoire de madame idéologie cantinière de la grande armée et moi je vais te dire de tels hommes debout dans une situation violente leur parole aussi presque à la manière des furies parle en une cohérence plus violente il nous faut d'abord sans attendre du débordement le diagnostic est exact il serait en revanche absolument faux de se mesurer trop étroitement aux exigences du temps et du bout du nez non non rien à voir avec position abstraite aristocratique au-dessus des classes il faut seulement poser le problème en dehors de certains tics envahissants d'un empirisme poisseux si j'écoutais tout le monde tu sais ce serait d'emblée par la fenêtre ou dans la seine ou le gaz ou le somnifère ce dernier n'indiquant pas un réel désir d'en finir la rengaine de la demande d'amour misère détresse affective le coup en tenaille de papa maman jusqu'après la mort ils aiment particulièrement ça mettre les menottes symboliques au cadavre chacun y va de son équation interprétative pas difficile à trouver l'inconscient des autres rien de plus simple en somme tu comprends j'ai écrit pour faire le vide en moi et autour de moi pour prendre le recul juste ça semble réussi à un point qui d'abord te fout un peu le vertige mais l'histoire en a vu d'autres une technique de soutien consistant à se donner la fraternité des fantômes comme celui dont je te parlais à l'instant type fumant celui-là j'arrête pas d'en rêver un cas archi-réussi d'incompréhension totale et pourtant tu ne peux pas oublier que si tu regardes ça calmement depuis l'après-gel tassé ça te paraît lumineux évident sans obstacles écoute comme il y va maintenant les héros sont morts les îles d'amour ne sont plus reconnaissables et ainsi partout imbécile est l'amour ou encore il tombe et disparaît l'homme souffrant aveuglément d'une heure dans l'autre heure comme l'eau d'un brisant lancée sur le brisant pendant les temps jusqu'à l'incertain d'en bas ou encore suspendues avec des poires jaunes remplies de roses sauvages la terre sur le lac ou encore et maintenant je suis assis sous les nuages dont chacun a son repos particulier ou encore il est une loi que tout retourne en l'intérieur ainsi les serpents prophétiques qui rêvent aux collines du ciel ou encore ils vont sans avoir peur sur les chemins de l'abîme par ponts légèrement construits ou encore le jardin rempli de fleurs comme un feu tranquille ou encore tout autour des portes de l'asie appelant çà et là dans l'incertaine plaine de la mer bruissent les routes sans ombre rappelle-moi de t'expliquer quelque chose ou encore le nuage doré de l'enchantement ruisselle en bas en sons amis en sons rapides ou encore il se contente du battement des ailes ou encore les bêtes se regardaient l'une l'autre muettes songeant à leur repas mais les montagnes sont debout silencieuses où voulons-nous rester ou encore celui qui pendant le jour produit la respiration il la retrouve quand il dort ou encore sur les jolies îles elles sont savantes ou encore tout est un intérieur et cependant sépare souvent je possède la langue ils disent que la colère est suffisante n'entendre ni ne voir un fleuve alors alors criez que la clarté se fasse et de nouveau la rumeur de la ville se trouve en bas sur les étendues vertes et résonnantes en dessous des pommiers car il y a des fleurs non poussées de la terre elles grandissent de soi-même du sol vide un reflet et ce n'est pas heureux de cueillir ces fleurs-là le dragon ressemble à la nature poussée pouvoir pensée les lauriers tremblent autour de virgile et que jamais le soleil non viril ne cherche la tombe c'est bien vrai et toute chose connue de moi comme tu veux la ramener à la mémoire l'écrire avec des lettres de même il arrive que je puisse dire aussi tout le passé et vous forêts peintes sur la pente contre la paroi verte quand sombre est pour moi le sens silencieux endroit où dorment hommes et femmes où du dehors arrivent les amis les légendes se tournent vers l'humanité nous apprenons beaucoup du temps qui se dévore vite comme les sentiers vont la nature apparaît dans sa monotonie le nouveau monde c'est la profondeur de la vallée tu comprends on ne peut pas expédier cela purement et simplement sous prétexte que ça a servi à plusieurs saloperies professorales curieux comme on peut se promener à travers comme dans un champ en évitant les repères trop précis d'époque comme si on était rentré dans un seul grand fleuve strié en multiple dissolvant leur référence révérence à

leur fond phallus et donc à chaque seconde sa peine
c'est là et ce n'est pas là illuminé à l'envers continuons
si tu veux dans le cimetière mettons-nous un instant à
l'écart tu entends au loin la rumeur tous ces vivants
pour un mort toutes ces gorges les voilà qui sifflent
l'internationale en arrivant près du père lachaise ah le
père le trône avec ses tombeaux assis les mains sur les
cuisses enterrant les cadavres comme autant d'excréments dans la châsse de maman profonde quelle terre
grasse véreuse richement truffée grouillante personne
pour faire le coup du bouffon avec crâne démonstratif
ou méditatif ce n'est plus d'un corps qu'il s'agit mais
de milliards dans le courant sombre jetons là nos
fleurs et fumons pour reprendre les témoignages on
dit que la théologie lui a été tout de suite parfaitement étrangère nous sommes en 1790 et les anecdotes
arrivent assez vite petite chambre pendant trente-six
ans avec évolution vers catatonie dementia praecox
politesse exagérée volubilité incessante stéréotypes ton
enfantin réponses toujours négatives la plupart des
sons inarticulés inintelligibles mêlés de français votre
majesté royale c'est là une question à laquelle je ne
peux je ne dois pas vous donner de réponse je suis précisément sur le point de me faire catholique la nuit il
se lève et marche à travers la maison il lui arrive aussi
de sortir dans la rue ou alors il noircit nous dit la
famille tous les morceaux de papier qui lui tombent
sous la main vers bien rythmés mais dépourvus de
signification affirme l'inspecteur de passage ajoutant
quand c'est clair il est toujours question d'œdipe de la
grèce de grandes souffrances pauvre con c'est toi qui
ne pouvais comprendre que ça avant de rentrer rassu-
rer bobonne et de raconter comment la princesse de
hombourg lui ayant offert un piano il en a coupé les
cordes mais pas toutes de sorte que plusieurs touches

marchent encore et c'est sur elles qu'il improvise j'ose
à peine prononcer son nom écrit bettina gentille hystérique émue par une castration de cette envergure
j'ose à peine prononcer son nom aussitôt on raconte
sur lui les choses les plus épouvantables uniquement
parce que pour composer un de ses bouquins il a
aimé une femme pour les gens d'ici aimer et vouloir
se marier est la même chose voilà ce qu'elle dit à
l'époque mais remarque bien qu'aujourd'hui ce serait
plutôt le contraire aimable cocotte de bettina fine très
fine regarde comment elle apprécie le gâteau son âme
dit-elle est comme l'oiseau des indes couvé dans une
fleur ce piano déchiré est une image de son âme miaou
miaou j'en lécherais bien un p'tit bout je voulais faire
le vœu d'entourer le malade de le guider ce ne serait
pas un sacrifice j'aurais des entretiens avec lui qui me
feraient voir ce que mon âme désire oh je suis sûre
qu'alors les touches cassées les cordes brisées réson-
neraient encore il est submergé par les flots d'une
puissance céleste la parole qui entraînant tout dans
une chute rapide aurait inondé ses sens donc si je pouvais y brancher un canal de dérivation peut-être que
mon nom pourrait être associé au sien dans cette
grande mer que je sens faite pour moi et moi seule il
dit que les lois de l'esprit sont métriques il dit que tant
que la parole ne suffira pas à elle seule pour engendrer
la pensée l'esprit dans l'homme n'aura pas encore
atteint sa perfection que c'est seulement quand la pensée se voit dans l'impossibilité de s'exprimer autrement
que par le rythme qu'il y a poésie force innée réflexion
césure cheval cabré suspension rayon en sautant comme
un bon cavalier en culotte blanche au derby je mettrais
mon beau chapeau mon nouvel ensemble tout le monde
me regarderait ce serait délicieux j'en suis inondée de
lumière peut-être le conseiller aulique se laisserait-il

conseiller par moi peut-être hegel lui-même qui l'a connu autrefois me prendrait-il comme dépositaire de son message c'est toujours mieux que ce que dit mon mari qu'il est devenu incapable de fixer une pensée de l'élucider de la poursuivre de la relier à une autre du même ordre et de former au moyen de chaînons intermédiaires une suite ordonnée qu'il ne parvient pas à combler la distance qui sépare les idées mon mari est trop antigauchiste peut-être qu'il a raison après tout ces gens-là n'arriveront à rien il vaudrait mieux les analyser une question de réglage en somme sinon impossible de décomposer ne fût-ce qu'un seul concept en ses éléments c'est comme cette histoire de drogue cette apologie éhontée aujourd'hui du schizo je vous demande un peu où nous allons avec cette irresponsabilité générale c'est une révolution dans la conception même de l'exception comme si le soldat inconnu soulevait sa flamme et voulait défiler sur les champs-élysées ce désordre vient des américains et là je me demande si nous n'avons pas eu tort de fixer sur les états-unis l'innocence toujours trop rapide de la jeunesse c'est une arme à double tranchant qui sait s'ils ne vont pas déboucher dans une anarchie folle avec garçons sauvages nus homosexuels désorganisant les jurys qui sait si notre plus sûr rempart n'est pas de l'autre côté avec sens de l'air pur aisance il faudrait réviser tout ça j'en parlais justement à georges l'autre soir je lui disais bon oui d'accord le secrétaire général a plutôt une sale gueule il est effrayant son menton dit tout en une seconde mais c'est peut-être notre seule chance penses-y bien mon amour quant à l'exemple typique de l'autre on peut dire qu'il veut affirmer quelque chose mais comme il ne se soucie pas de la vérité qui ne peut être que le produit d'une pensée saine et ordonnée il dit non aussitôt maintes fois j'ai pu observer le conflit fatal qui détruit ses pensées dès qu'elles se forment car d'habitude il pense tout haut et même s'il arrive à fixer une idée aussitôt la tête lui tourne cela ne fait que l'embrouiller davantage un tressaillement convulsif lui traverse le front il secoue la tête et s'exclame non non non il y a un abîme immense entre lui et l'humanité les camarades le jugent sévèrement malgré ses efforts je ne crois pas qu'il endormira jamais leur méfiance il y a là un problème qui vient de plus loin qu'eux tous et qui si tu veux mon avis les traverse s'avance déjà bien au-delà de ce qu'ils croient aujourd'hui c'est l'antique truc de l'humilité on ne doit pas oublier qu'il lui est resté une très forte vanité une sorte de fierté un sentiment de sa valeur j'ai l'impression qu'il ne pourra jamais s'anonymiser dans le mouvement de masse et pourtant il dit le contraire peut-être n'a-t-il pas si tort peut-être que c'est lui le moins personnel mais alors c'est d'une façon tellement étrange immorale froide que nous la ressentons comme du mépris nous ne sommes pas émus aux mêmes moments autrefois le monde extérieur qui ne l'appréciait il est vrai qu'à moitié lui était encore ouvert sa puissance créatrice et son action lui permettaient d'y jouer un rôle tandis que maintenant on dirait qu'il est pour lui seul moi et non-moi monde et homme première et seconde personne et qu'il continue à se considérer comme un être supérieur hors pair je me demande comment il se met au lit c'est comme quand il est au piano on sent qu'il poursuit une ombre enfantine il vous la joue des centaines de fois c'est insupportable à ceci s'ajoute qu'il est parfois pris d'une espèce de crampe qui le force à parcourir les touches comme un éclair et puis il se met à chanter impossible de savoir dans quelle langue mais avec un pathos déchirant il prétend avoir toujours dix-sept ans le garagiste dit qu'il se lit des passages à lui-

23

même tout haut déclamant comme un acteur avec des airs de vouloir conquérir le monde se posant des questions et y répondant le plus souvent par la négative et puis de nouveau la musique encore une fois le même air monotone la même scie il est mal luné aujourd'hui il dit depuis ce matin que la source de la sagesse a été empoisonnée que les fruits de la connaissance sont des poches creuses et voilà il va mourir doucement et sans agonie pratiquement comme tous les autres de son espèce ouf j'entonne là un grand chant sourd et râpeux et liquide et sourd nuit nuit halète viens passer ta main noire sur ce front brûlant qui se reproduit encore et encore c'était lui mais c'est aussi d'autres par centaines et centaines de milliers lâchant la corde se tenant un moment à la rambarde de fer devenant comme elle écho métallique je ne veux pas laisser passer ça en silence pour que vienne ensuite le parano spécialiste maniant les charniers transcendant l'histoire glissant le pompeux jusqu'à dire que le silence approuve la grandeur humaine ou que les scorpions ignorent la roue du char qui leur passe sur le corselet agnostique bavard pour enfants nerveux traumatisés dès l'aurore il parle du mal de satan comme si le bateau n'était pas parti comme si le fleuve ne coulait pas de toutes ses rives il refait le coup du panthéon cathédrale moderne mais enfin bordel la bourgeoisie doit bien se douter que ses gros sabots sont troués non eh non elle remet ça en télé couleurs pour marée noire à scandales elle croit pouvoir assurer la relève de la chrétienté on sort des poissons on entre dans la nouvelle maison il suffit de reconduire l'odeur de broyage décomposition des corps avec répétition garçonnet ou fillette partant pour l'école vous n'avez pas réussi transmettez l'énigme aux générations faites-vous spirale comme c'est curieux cette façon qu'a la roue ascendante de s'appuyer sur son

point le plus bas sur ses jantes obscures ce côté labyrinthe de tout ce qui naît à la fois en retard et en avance
sur l'antérieur qui sait sans savoir dans l'aveugle comme
c'est furtif cette lumière dans leurs yeux qu'ils rabat-
tent toujours trop vite vers une formule une prière et
tu vois l'ironie de ce lieu de pierre surmonté de croix
décharge publique aveu inconscient pendant deux mille
ans long sommeil en caveaux chantiers parallèles et
maintenant écoute tiens ton souffle saisis en dérapant
l'histoire qui s'ouvre se replie en un clin d'œil aiguisée
brûlante insatisfaite dans sa nappe unique vidée par
les ombres sois comme un chien éveillé flash qui en
même temps n'en finirait pas de dormir ce que je te
demande c'est simplement en pleine action la distance
la conscience que tu fais des barres que tu bats la surface en restant pourtant trop contraint simplement la
légèreté de cette insondable gratuité qui bat qui flue
dans tes veines ton côté plancton si tu veux qui vient
du grec plankton ce qui erre neutre de planktos errant
ou encore ton effet de prisme de prizein scier que je
mets avec psallein faire vibrer les cordes ah encore ces
grecs ces enfants normaux la nursery au soleil le bleu
carrément bleu la pierre exprimant la pierre et ce fond
de poudre partout à l'affût marchons encore un peu les
jours deviennent plus longs j'aime ce ciel rouge même
avec cette mouche d'hélicoptère des flics qui transmettent le tout par radio je me demande comment ils
décrivent ça comment ils décomposent les couches
sociales s'ils repèrent d'ici les différences les îlots la
proportion d'immigrés je me demande à quoi pense
réellement le type qui filtre l'essentiel pour l'état-major
s'il y a des blindés en état d'alerte comment les politiques préparent leurs communiqués règles générales
de la théorie des jeux réponses directes sans surprise
de la mémoire centrale stabilité de l'électorat qui bai-

sera qui balançoire et puisqu'on parle de la manière dont l'effet se parle de la dispersion ou concentration du reflet t'as vu les cadeaux qu'on fait maintenant dans les mairies au cours des mariages zola balzac stendhal par petits paquets à mettre sur la table de nuit pour coït légal reproduction jouissance équilibrées par la phrase le rouge et le noir pour tous foyers extincteurs de poche attends je reprends mon idée du contrôle par refoulement spontané il suffit que l'état s'engouffre dans les viscères qu'il soit là patient au moment triangle de la pyramide entassée la machine fonctionne à bloc merde c'est pas demain la veille qu'on pourra pour soi-même se torsader vivement son fouillis année par année c'est comme le retour de jésus reparachuté en pleine salade les mecs peinturlurés bêlants dans le pop trip communautés bénies par le cardinal monloulou ce qui est énorme c'est l'air de nos camarades chinois quand ils observent ce cirque nous et eux d'un côté et encore pas exactement le même et les autres de l'autre t'avoueras qu'il faut choisir l'un des deux camps est radicalement fou tu regrettes de vivre à cette époque ah mais non certainement pas je crois que c'est le moment ou jamais de faire le point par tous les bouts à la fois par tous les bords suffit de s'y mettre de pas se laisser distraire de s'attacher au mât une fois de plus de pas se couper les ailes tu décides la méfiance généralisée de suivre personne tu t'appuies sur le fait que personne en voudra que chaque geste même des plus tolérants sera en fait un coup de couteau plus ou moins visible tu te mets dans ce cercle de feu qui veut dire simplement je suis point final t'entends le ghetto se construire à toute allure on te demande juste un adjectif et tu le refuses il faut dire que tu vas commencer à jouir de la variété monotone de leurs contorsions vois comme leurs yeux se pochent se cernent vois comme ils te regardent à la dérobée ne manque pas le petit sourire dont ils s'assurent de leur triomphe inéluctable triomphe sur qui sur quoi c'est ce qu'ils ne sauront jamais et qui te permet de faire semblant de ne rien capter au début c'est un peu cahotant bien sûr tu peux t'effondrer à chaque seconde mais ton oreille s'affine c'est leur cri que tu vas trouver un hurlement fabuleux à s'arracher les cheveux sur place le vrai spasme de l'un de l'unique le râle de l'unité le maman terrible du mourant global dans la paille aïe ce cri est-ce que tu peux en vouloir à personne de l'ensevelir sous des tonnes d'acier de grammaire de croyance ou d'obscénité n'importe quoi plutôt que cette langue de feu de l'anus au sommet du crâne n'importe quoi plutôt que ce chaudron bouillonnant plutôt se branler danser savoir se piquer ou rien et là il faut résister au mais c'était donc vrai les vieilles conneries putain c'est l'enfer soi-même dans le fond du fond parce que ça c'est l'ultime ruse de la grande bouche après quoi t'aurais le droit de venir blanchi ramoner les autres en brebis de jouer le cocu bien sage le corps revenu au lieu de partir nom de dieu tournant décisif sans quoi résumé très bref tempête dans un verre d'eau retour vingt à l'heure par l'autoroute avec tous les vacanciers du dimanche mobilisation pour beurre triste en auto files sur le macadam circulation transports juste ce qu'il faut pour reproduire le minimum de souffle capitaliste ding la liberté des atomes que personne n'a jamais vus la nuit je me réveille maintenant sous l'ombre de cette sueur immédiate répandue partout des pieds aux cheveux inexplicable saisie sous la douche elle dort ou elle ne dort pas elle sent passer le fil de la faux qu'elle connaît pour elle l'autre a raison de dire que finalement peu importe un héros qui n'a pas vécu aussi avec une femme que les grands airs sans cette expérience multipliée dans le minuscule laisse subsister le maximum d'illusions comprends comprends il nous faut la science du déchet ultime dans l'inorganique nous devons franchir ce mur cimetière niagara mécanique à tourner cuillère toute sauce l'éternel regard bas en haut jusqu'à cu bas mollet genou cuisse le tic de l'espèce remonté sans fin horloge des gestes dans chaque café chaque rue comprends comprends comment tu es huilé en rouages pour ce moite effet torsion jouet de sa clé le neuvième cercle au plus bas on peut l'appeler monboudif village avec confidences de la nourrice du président c'est ce bon platon qu'en s'rait halluciné s'il venait faire une balade de notre côté autrement que dans les dissertations de philo ou plus sourds effets de manchette le conseil des sages frémit en retrait et alors plutôt la défonce le cheval la blanche plutôt la croche elle-même et le garçon fille saupoudré d'herbe drrrrrring va te faire sonner l'étincelle reste cool sur ton tabouret flippé sec sniffé et ça y est le vaste et l'eau qui suinte les mots disent difficilement ce qu'ils ont pour fin de nier dix films par seconde ça fait monter le savoir caché que personne n'enseignera jamais et pour cause tu creuses ta tombe avec ta queue sous le bleu du convoi horizon brouillé et il y a au-dessus leur vague la grande vieille vague oubli de la terre promise fairest isle all isles excelling seat of pleasure and love allume le tube apprends à patienter en néon l'endroit est finalement très comparable à un mur graffité de chiottes où chacun se fait son fiat lux se colle au rocher et c'est vrai de la bibliothèque comme de l'usine t'as partout les traces de la solide immense main d'empoignade qui barre l'humanité sur terre sur mer dans les airs ça n'est pas pour rien que les plus malins ont prêché ce truc du démiurge l'univers entier sous la loi de l'enculeur magistral même s'il y a cette conception plus profonde de la combinaison tourbillon fortuite même si tu couvres le tout par l'évolution mais on sait ce qui attend les parfaits d'ailleurs marqués de comique bûchers allumettes flambées et cqfd dommage en un sens qu'on ne brûle plus aujourd'hui les mecs de ce genre la guerre se passe dans la chimie c'est schnouf contre schnouf au plus près du système nervure filaments sans rêves écho du brutal et là t'as droit au rien ne naît d'aucune manière bien que naissant de toutes parts ça te fait une belle jambe en plein dans ses fourmis rouges tu peux aussi te rappeler que ceux qui admettent le devenir de la pensée ressemblent à ceux qui voient un pas dans le ciel tiens asseyons-nous là un instant sous les sapins noirs protégeant la mousse quelle belle journée comme ça s'emboîte taches sur taches ce qu'on voit est parfois tout près de ce qu'on écoute limit of the diaphane why in diaphane adiaphane if you can put your five fingers through if it is a gate if not a door shut your eyes and see c'est curieux ces coïncidences on dirait qu'il y a des trous dans le scénario peut-être même dans chaque globule embrasse-moi doucement que je sente l'autre et son sens fibreux son creux sous la langue sa nourriture d'air son appel de sein détourné hors cible au fond c'est comme si on était conduit heure par heure par ce chiffon rouge recouvrant l'épée et ça bouge et ça se défile et on y va bravement parmi les clameurs aristote aurait dû assister à ça l'introduire dans son de caelo flusht entasse crâne sur crâne voilà comment nous sommes ici près de la terre fraîchement creusée imagine que je me coupe une boucle de cheveux que je la dépose là sur ce tertre imagine que nous répétions tous les anciens gestes libations invocations rituel marqué pour tresser le vide avant de passer à l'action s'enfonçant depuis le futur attends attends c'est le moment de reprendre ça de façon plus large la révolution crois-moi n'aura pas à le regretter je veux voir son masque à découvert le visage à nu dans le four quel libérateur brandira l'épée invisible où lame et poignée ne font qu'un hou un flux de bile vient heurter mon cœur ceux que nous appelons savent quels orages nous emportent dans leur tourbillon comme des marins en détresse ou des cosmonautes dépassés en eux par leur sang du plus petit germe peut jaillir l'arbre du salut mais voici les empreintes analogues semblables à celles de mes pas oui ces traces trahissent deux hommes talons contours des muscles du pied une angoisse me prend où ma raison succombe comme dans un cratère de vin neuf pourquoi cacher ma pensée quand d'elle-même elle s'envole hors de moi bon ça suffit l'essentiel est d'y mettre le courant jauni chaud et froid du scamandre comme si tu étais une fille offrant sa virginité au papa du fleuve avec les orteils dans le gravier fuyard cha-touillés par les anneaux d'eau plus bas plus bas tu t'en-fonces encore plus bas dans ce temps d'espace pense aux taches de lumière des fusillés sur le mur aux fédé-rés achevés sur toi si je dis ah c'est simplement pour marquer le pas du silence ah donc ce juin poudreux avec ricochet des balles sur la pierre aiguë je veux seu-lement vous parler des tas de cadavres qu'on a empi-lés sous les ponts non jamais je n'oublierai cet amas de chair humaine jeté au hasard sur les chemins de halage les têtes et les membres sont mêlés dans d'hor-ribles dislocations des tas émergent des faces convul-sées les pieds traînent il y a des morts qui semblent coupés en deux tandis que d'autres paraissent avoir quatre jambes et quatre bras ça leur apprendra à mon-ter à l'assaut du ciel la vue des ruines n'est rien à côté de l'immense bêtise parisienne le général avait ordonné que ce meneur serait fusillé au panthéon à genoux pour demander pardon à la société du mal qu'il lui avait fait il s'est refusé à être fusillé à genoux je lui ai dit c'est la consigne vous serez fusillé à genoux et pas autrement il a joué un peu la comédie il a ouvert son habit montrant sa poitrine au peloton chargé de l'exécution je lui ai dit vous faites de la mise en scène vous voulez qu'on dise comment vous êtes mort mourez tranquillement cela vaudra mieux je suis libre dans mon intérêt et dans l'intérêt de ma cause de faire ce que je veux soit mettez-vous à genoux alors il me dit je ne m'y mettrai que si vous m'y faites mettre par deux hommes je l'ai fait mettre à genoux et on a procédé à son exécution il a crié vive l'humanité il allait crier autre chose quand il est tombé contre nous dût-on noyer cette insurrection dans le sang dût-on l'ensevelir sous la ville en feu il n'y a pas de compromis possible si l'échafaud vient à être supprimé il ne faudra le garder que pour les faiseurs de barricades ce n'est pas le vice qui est dangereux mais cette sorte d'innocence de la folie ou alors l'obstination politique exemple ces femmes jeunes jolies vêtues de robes de soie descendant dans la rue un revolver au poing tirant dans le tas et disant ensuite l'œil chargé de haine fusillez-moi tout de suite et toutes celles qu'on a vu ainsi exécuter sommairement par des soldats furieux sont mortes l'injure à la bouche avec un rire de dédain comme des martyres qui accomplissent en se sacrifiant un grand devoir vous vous rendez compte chère amie comme on peut compter sur les domestiques salope de bourgeoise française j'ai pour elle tu sais un désir de meurtre infini c'est elle qui a enfermé le marquis c'est elle qui a tiré dans la nuque des communards c'est elle qui prenait le thé avec les nazis c'est elle qui tient la consommation sous son casque chez son coiffeur à la messe nom de dieu comme j'aimerais qu'on en finisse avec ce

31

maquillage cette laque cette crémaillère certes c'étaient d'atroces scélérats des assassins des incendiaires pas intéressants à coup sûr mais dans cet état des bêtes même auraient inspiré la pitié des âmes compatissantes apportèrent des seaux d'eau pourquoi ont-ils eu cet acharnement dans la défense c'est que dans cette guerre le peuple fait lui-même sa guerre la mène en personne n'est plus sous le joug du militarisme cela amuse ces hommes les intéresse o cité douloureuse o cité quasi morte ils sont gais car ils sont braves ces misérables sont héroïques un homme tenait un drapeau rouge debout sur un tas de pierres en s'appuyant contre un tonneau derrière lui fainéant lui cria un camarade non répondit-il je m'appuie pour ne pas tomber quand je serai mort ils sont ainsi ni plainte ni cri et il faut se rappeler que marat était fort parce qu'il écrivait ce qu'il avait entendu dire au milieu de la population laborieuse j'entends parler d'assassinat qui ose prononcer ce mot quand c'est le peuple qui agit lui qui depuis dix-huit siècles est assassiné quand il exécute ceux qui depuis dix-huit siècles l'ont assassiné vous appelez ces exécutions des assassinats arrière donc 1792 1870 quatre-vingts ans d'intervalle seulement entre ces deux dates la vie d'un vieillard mais de ce berceau à cette tombe dix siècles ordinaires ont trouvé place et voilà encore un siècle tiens ils se sont remis à chanter les dates les dates les dates tu sais qu'on a longtemps enseigné que la terre avait disons cinq à six mille ans d'existence maintenant on sait qu'il faut cinq milliards et puis les cycles les montagnes le creusement des vallées pas étonnant ce mal de crâne à travers les condamnations le sac à censure une raison en enfer voilà le titre du rouleau bœuf âne cheval chariot char charrue constitution du moteur au fond nous sommes un peu là comme les deux types sur la lune envoie la caméra les photos passe-moi la pelle ou l'aspirateur le problème n'est pas du tout celui du héros mort pas question de faire les pleureuses c'est plutôt une expérience scientifique que du théâtre éteint dans le temps ça va les ennuyer ce grand flot c'est vrai qu'ils ne sont pas très contents d'être au monde hein à part quelques fantaisies ou quelques desserts c'est vrai qu'ça leur fait peur cet émiettement quotidien du tissu sensible douleur des gencives aux reins du foie à l'épaule y en a qui s'enfermeraient dans les maths pour moins que ça y en a qui préfèrent foncer dans la danse ah le ballet vieux rite regarde ce que font les révisos du bolchoï le coup des légions romaines péplums collants pour sortir les fesses sylphides ondulant des bras au chevet du christ le bidet des cygnes solides étreintes des mâles sur vaincu musclé femelle allumeuse pour légionnaire à tutu et personne personne pour simplement éclater de rire quand la danseuse étoile upper class vous parle du chant intérieur de la liaison des bras aux mollets montre bien ton cu eh spartacus que le bourgeois jouisse au parterre montre bien le cu de la patrie des soviets l'art est éternel pour eux aussi alors c'était bien la peine de s'exciter sur le communisme rien ne se développe de façon générale camarade tout va et vient il y a des percées reflux ça n'avance pas comme un défilé revendicatif pense à la tendance générale c'est de cette ligne partout brisée ferme qu'il faut partir maintenant de ce corps distendu écartelé demandant à se retourner sans arrêt sommes-nous de ce monde est-ce que tu te reconnais là-dedans est-ce que ce corps est le tien oui tu es sûr en dehors de l'exploitation non non rien qu'en elle j'en poursuis jour et nuit l'insinuation la pente je n'ai pas à être cet effet d'organes contre tout et tous je m'obstine à dire que je suis d'ailleurs et c'est pour ça franchement que j'accepte jusqu'au bout l'entrée de la lutte des classes ça ne touche en moi aucun intérêt aucune arrière-pensée pas de compte en banque pas d'obélisque subjectif à polir je cherche les points d'interventions petit doigt pied droit lobes d'oreilles poignets haut d'épaules je suis vraiment sur le coup depuis des années longeant tout des jambes à la nuque ça fait de plus en plus canot pneumatique filet atch ce côté chien comprenant son os atch cette moelle d'heures dans la veille entends la rumeur entends notre obstination ça ne sert à rien de se mettre sous la loi des flics des curés de se branler à jouir rapidement devant eux pour qu'ils interviennent ça ne sert à rien de viser l'exclusion répétée mieux vaut aller plus profond voir d'où ça vient en quoi et de quoi c'est fait vers où ça dérive renonce détache-toi lutte mieux quitte le bal où le juge danse collé contre son transgresseur préféré enfonce-toi laisse-les t'en as rien à foutre et tes îles te recevront en montant au large comme un troupeau joyeux de baleines salut toi qui as osé ils disent qu'on te voit partir à regret mais ton vent c'est leur vif de base ton courant c'est leur spasme vibrant de rejet alors ne leur mets plus la main sur leurs bouches navigue passe ouvre-toi déborde-toi ne te garde pas qu'est-ce qu'ils peuvent être chiants avec leurs histoires de formes cu tourné vers la grande autruche toujours l'œuf pondant du désert l'ancestrale manie du fétiche piétiné sur place avec tête à glands engendrant ses glands l'état c'est moi disent-ils sans fin à l'état qui n'en demandait pas tant pour rester l'état dans son moi coup du dieu jaloux dans la barbe de son moïse le j'veux pas l'savoir d'l'adjudant sorti d'l'a nature pour se faire la main non non c'est plus compliqué plus souple et finalement plus doux oui parce que plus cruel et si ça me plaît à moi d'aller regarder cinq minutes celui dont la tête et les cheveux sont blancs comme de la laine la neige celui dont les yeux sont comme une flamme de feu les pieds d'airain dans une fournaise et la voix comme le bruit des grosses eaux si ça me plaît de lui compter ses sept étoiles son épée à double tranchant et voilà qu'son visage éclaire comme le soleil je tombe à ses pieds il faut savoir s'évanouir d'un bloc toute allure ici les copains ne sont pas contents ils veulent qu'un mec soit comme napoléon à cheval et coulé en bronze même topo pour les filles elles trouvent que c'est pas viril sauf si l'affaire prend un air ambigu cheveux longs et voiles parce qu'alors la question peut se poser de savoir s'il l'a s'il l'a pas encore mieux s'il peut chanter le suave en rythmé donc déjà la séquence leur déplaît le sens les fait courir en danseuses ce qui m'enchante sera sans fin la torsade des dénégations et lui met sa main droite sur moi c'est-à-dire que je me la mets moi-même mais d'une façon un peu spéciale qu'il serait vraiment trop long d'expliquer mais qui en tout cas passe par un saut qualitatif assez important pour garder le deux du un se divise en deux et il me dit t'en fais pas je suis le premier et le dernier on a par conséquent le temps de causer ensemble je suis vivant j'ai été mort mais maintenant je suis vivant de la façon dont tu n'arrêtes pas de te douter sacré intuitionniste de choc après quoi vas-y dis-leur ce que t'as à dire sans fioritures et t'auras droit au bonbon des siècles j'ai lu ton machin c'est pas mal je sais qu't'as pas gagné des tonnes de blé avec ça j'ai entendu les calomnies sur ton compte dis-moi mais c'est gratiné ce qu'on te passe dans tous les recoins le serpent t'en veut personnellement camarade mais celui qui vaincra n'a rien à craindre de la seconde mort d'ailleurs ils ne peuvent pas grand-chose contre ma fusée sol sol sol air que celui qui a des oreilles écoute et qui sait lire doit voir le sens caché exprès

pour lui reconnaître le flux éternel invisible anna per-
anna encore que le corps le plus poli soit celui qui présente le plus grand nombre d'aspérités tu les affoles
avec tes prophéties paraboles allégories en plein cœur
social ils n'arrêtent plus de jouer au portrait chinois de
se deviner les uns les autres mais moi je te donnerai à
manger de la manne cachée et une pierre blanche avec
un nom pour toi seul car tu as un certain nombre de
choses à mettre au point sur la fornication générale
substantielle ou non substantielle et sur les idoles qu'ils
n'arrêtent pas de découper sous leurs draps tiens prends
ma sonde elle fait les reins les cœurs les couilles la
matrice et le portefeuille et puisqu'ils croient faire des
œuvres alors à chacun selon ses œuvres ça permettra
de briser quelques pots en passant fixe-toi sur l'étoile
du matin moi je viens comme un voleur on ne sait
jamais à quelle heure quand j'arrive ça devient tout
pâle et si j'ouvre personne ne ferme si je ferme je voudrais bien savoir qui pourrait l'ouvrir il vaudrait mieux
donc qu'ils la ferment mais c'est plus fort qu'eux ça
leur sort par les pores par chaque pli de la bouche au
coin des narines et la porte que j'ai ouverte devant toi
personne peut la rabattre parce que même faiblard
comme tu es isolé tu as retenu ma parole tu n'as pas
renoncé à mon nom tu juges à juste titre inutile d'écrire
dans l'abstrait pour rien et dans le concret pour pas
grand-chose et il faut que ceux qui se disent juifs mais
qui ne le sont pas et qui mentent sachent que je t'aime
confrère jew jewel et tu pourras être un exemple de
colonne pleine de nouveaux noms pas cochons du tout
et vous qui n'êtes ni froids ni bouillants vous feriez
mieux de brancher plus fort votre frigidaire ou d'aug-
menter sérieusement votre gaz la tiédeur a tendance à
me faire vomir donc je suis à la porte et si quelqu'un
entend ma voix et me fait entrer je veux bien déjeuner

avec lui et faire le point de la situation générale et même démocratiquement sans trône mais pas sans musique pas sans trompette monte ici et tu verras ce qui va arriver ensuite nécessité de l'alliance entre la classe ouvrière et les intellectuels ah je suis de nouveau ravi dans le langage souplé dans son arc-en-ciel émeraude et schlaf à moi les vingt-quatre vieillards avec leur cœur d'or et poum voilà les éclairs les tonnerres les voix et sept sens deux de plus que pour vous chéris et la mer de verre comme du cristal et les quatre directions animales pleines d'yeux devant et derrière c'est toujours mieux que votre cinéma si ça me plaît de voir un lion un veau un homme ou un aigle avec six ailes et regard tournant dehors et dedans jour et nuit avec le présent imparfait futur sur le même rythme quel toboggan mes agneaux vous n'imaginez pas le message et tous les canaux diffuseurs mais on pourrait dire aussi bien que c'est là que le ver s'introduit dans le fruit et les empêche à jamais d'être autre chose que leur minable piston narcissique se poussant moi moi in saecula saeculorum amen donc je comprends de mieux en mieux la turbine j'y vois mieux sur le rapt du commencement à la fin causez d'inconscient ça vous f'ra passer le temps en famille moi je parle du détournement d'avant de l'avant que celui qui a l'étincelle s'éclaire de la retenue à la source dont ils ne se doutent pas viscéralement c'est tout autre chose un combat ici au couteau entre ce qui me traverse et le front buté appelé jadis démoniaque ne croyez pas une seconde les endormeurs qui vous disent que rien n'est moins vrai le terme prophète apparaît vers 980 à propos de passion pris au sens physique c'est au douzième qu'on dit prophétie du grec prophêtês littéralement qui dit d'avance vous vérifierez vous-mêmes du moins ceux d'entre vous qui ne sont pas trop enracinés d'où me vient cette insolence je ne sais pas oui elle est vraiment sans limites oui elle rend ma tête plus dure qu'un diamant quel caillou j'en ai la gueule emportée d'avoir avalé ce hors-d'œuvre qui est digne d'ouvrir ce volume et d'en délier les sceaux je vous demande un peu de nos jours faut-il se mettre à pleurer parce que personne ne peut regarder dedans faut-il devenir ce mouton à sept cornes spécialiste de la lecture sans quoi qu'est-ce qu'on lit sinon sa petite envie sous pipi allons bienvenue ici avec harpes et coupes d'or parfumées rythmiques il est temps de se laver un peu même avec le meilleur savon et tous les parfums d'arabie nos mains finiraient par sentir un peu trop le sperme la merde ça existe c'est entendu mais y a pas de quoi en faire une marmite ou le plat unique l'important au-delà du sang c'est d'passer à travers toute tribu toute langue tout peuple toute nation allons remuez-vous un peu votre vue est basse personne n'a jamais dit que le matérialisme dialectique devait se limiter à la main au panier pour un oui ou un non déployez un peu votre carte rouvrez les livrets que l'opéra recommence de long en large hop hop montrez-vous la totalité avec mille désirs vous arrivez en chinois à miao autrement dit la merveille tandis que simultanément sans désir ce sera tchao le trou les orifices et les mots tombent de la loi venant d'harmonie dérivée elle-même de la correspondance générale comme le couvercle s'adapte à la lessiveuse bon ça va pour l'instant qu'est-ce que tu en penses pas mal peut-être que tu pourrais un peu pousser la critique de jésus christ superstar y a tout un public de zonards qui risque ici de pas suivre une masse de p'tits mecs paumés tu prends les choses d'un peu loin écoute la manif c'est la toile de fond il faut prendre l'histoire pour eux au niveau des cars de flics de la bourgeoisie au niveau des discours révisos curés alignant leurs mots de notaires pègre pédés tarés dépravés drogués ah les cols blancs du parti tu te rends compte qu'ils interdiraient hugo si ça s'trouve et bien entendu baudelaire s'il était vivant de leur temps imagine la gueule de proust voyant passer sous ses fenêtres les mecs et les filles avec leurs banderoles criant sodome gomorrhe le combat continue il regarde écoute se retourne vers sa gouvernante françoise c'est le temps retrouvé apportez-moi tout de même un châle imagine ce que devient dans ces conditions la correspondance gide claudel faut-il publier corydon quelle époque mais attention pas d'erreur est-ce que ça baisse est-ce que ça remonte est-ce que c'est la fin de l'empire romain où sont les nouveaux primitifs dans nos régions école décadente a été pris comme titre d'une école littéraire vers 1885 d'après le vers de verlaine je suis l'empire à la fin de la décadence or les choses sont pour ainsi dire pires et meilleures ça dépend évidemment de ton point de vue ce qui n'empêche pas qu'il faut rendre compte au maximum de tous les symptômes se ram'ner partout dans le glissement et quand tu les entends crier ta révolution tu peux t'la foutre au cu elle fait pas jouir là tu peux être sûr que ça tire à droite pauvres cons comme si jouir était le dernier mot du bordel comme si ça n'remettait pas en selle son écho contraire son circuit de montagnes russes comme si la ruse de la raison n'était pas infinie comme si y avait des sièges éjectables hors histoire cet endroit est décidément commode on ressemble à deux corbeaux pleins de la folle sagesse du futur ça me donne envie d'écouter un disque des grateful dead par exemple dark star c'est le lieu idéal pour nager entre blanc et noir quel tableau si les dalles s'ouvraient pour une seconde avec frisson général sur l'océan de squelettes qu'est-ce que la pensée qui ne l'a pas comme objet liquide qu'est-ce que ça veut dire ne pas y penser ah merde voilà la douleur qui repart dans les dents les tempes sous la nuque la douleur tu comprends c'est comme la jouissance étendue dénombrée temporalisée palpable qui a dit qu'on ne pouvait pas l'écrire mais si en souffrant longtemps petit feu élancé points vifs c'est là que tu vois qui travaille ou bien qui bavarde et le mouvement est toujours double poussant d'un côté retenant de l'autre ce qui fait que personne n'a raison ou que tout le monde a raison d'un certain côté allumé mais seul l'extrême en levier durée a raison en fait la pratique du temps futur eh oui ça se déploie ça va alimenter l'horizon pour venir souffler ici même voilà bien pour moi et pas pour moi une seconde voilà sur le parterre fleurs cet effet de fémur qui bout la mâchoire est un symptôme parfaitement décrit dans les manuels t'as droit au beau titre revalorisé de schizophrénie et il faut dire que les autres sont tous dans l'autre camp avec leurs contrats croisés leurs alliances dont tu fais les frais o tapis roulant poudroyant leurs complots leurs secrets d'état qui te font marrer o deep river tu les portes les charries les roules dans tes chutes brusques tu les laisses flotter en toi comme des hippopotames qui viendraient de temps en temps en surface ouvrir leur grisaille et flapper bâiller leur et moi et moi à quel point tu peux leur parler sans fin d'eux ça n'est pas croyable tous psychiatres en puissance dont il faut bien entendu écouter les confidences les projets les souvenirs o deep end t'es encore plus large que leur grande maman proverbiale dans laquelle ils aspirent tous à rentrer même que t'as vu sortir le vieux bitenfer en personne qui joue depuis au monarque au chef d'entreprise et la toujours plus fraîche môme casse burettes jeune moissonneuse-batteuse du fond de l'espèce et toutes les variétés de chassés-croisés du pareil à l'autre et de l'identique au semblable roulette chemin de fer canot à voile à moteur t'en es pas à un tourbillon près dans ta course impassible émue d'amazone congo parana yang tsé-kiang amour tu sais aussi préparer soigner les débris les restes il suffit d'aimer ta cuisine que celui qui a soif vienne que celui qui voudra de l'eau vive en prenne gratuitement ce qui m'intéresse le plus est cette plongée du cerveau en dessous d'éponge flip flap laissant couler son argile en lui et sous lui baisse de la pression lambeaux mi-sonores qui voit là une phrase toi oui ah vraiment quand peux-tu découper extraire qu'est-ce qui se tient autour si tu coupes qu'est-ce que c'est cette histoire d'énoncé où avez-vous trouvé cet objet magique du genre paul attend marie la grand-mère de pierre a du poil au menton laissez-moi rire alors que tout croule en même temps sans bouger sans eau sans substance alors que le vide oblige tout à fluer alors que ça fait matière chute par matière chutée seuls des filaments en surface et toi surface en surface laissant ton personne résonner s'ouvrir c'est pas pour rien que les quantités finies sont dites comme engendrées par un courant continu ligne par point surface par ligne solide par surface collés l'un à l'autre avale-moi mange-moi démembre-moi file-moi ton souffle ton haleine ta gorge donne-moi ton nez parfumé avec doigt dans l'cu et bite à ras bord ce qu'elle peut être noire chaude blonde noire vibrante la langue toujours pointée dès qu'elle ouvre noir les yeux plus brillants à cause de l'herbe et ça me rappelle au coin du feu quand était-ce jamais peut-être et où dans cette ville non mais si j'ai l'impression maintenant d'un trou de province était-ce un abri l'été l'immeuble désert nus sur le parquet on dirait qu'elle vient des cyclades de l'ancienne égéide disloquée aux temps tertiaires je ne sais pas c'est peut-être les chevilles ou les clavicules le côté brillant froid chaud dents souffle noir ou cornée de l'œil l'écho râlé un peu dans la voix la conscience noire du crâne ça vient quand ça doit venir c'est toujours vérité de l'éclat de rire on n'a rien on ne garde rien tous les gestes sont sculs dispersés et du même coup répondus sur place pars disparais reviens aucune importance la légèreté est sans bornes tu entends sans bornes et j'ai réchauffé ses pieds dans la neige on a été bourrés comme des vaches défoncés à mort avec éclatements réciproques bien tenus bien nets secoués comme des étoffes aux fenêtres montée tremblements marée tout le truc y a pas à dire la rencontre un sur deux milliards ça existe le coup du cosmos c'est la chance quand on s'y attend le moins j'ai jamais compris comment elles deviennent pas folles avec leur mou glissant sous les jupes humectant la culotte sur les tabourets et au fond elles le sont et eux c'est pareil mais en plus gros plus différencié plus monotone aussi c'est normal parce que moi si je me retenais pas je foutrais tout ça en l'air en une seconde surtout les boîtes aux lettres c'est mon vice les ptt je ne crois pas qu'on puisse sérieusement se débarrasser du vieux rideau à lanterne du vie mort mère masque tiré jusqu'aux dents regarde comme ils avancent à la queue leu leu dans le jardin eh sot d'homme go more en lesbosse c'est la procession fafourmillière autour du massif ça fait une plombe qu'ils se traînent sur notre berge avec leurs cantiques laisse-les tourner essaye simplement de les encercler ne mets pas plus d'un pied dans leur ronde et pour revenir au point vif apprends à transpirer tout contre elle emmêlement bouche oreille cu con clitoris queue pointillés des lignes secoue net la crinière entière du système comme le chiffon dans le vent mouille fais mouiller la sonnette la serpillière rassemble ton feu en montée tu touches là l'empreinte discorde nécessité je peux dire que j'ai passé ma vie à regarder par les fenêtres les arbres visibles depuis l'école je peux dire que je suis né ainsi de quelques nuits avec regard brusquement dehors en allant pisser quelle paume quelles tempes moites quel creux alors dans les villes sur les toits de zinc autour des néons fourrés par le froid la chaleur des feuilles un coup d'œil avant de rejouir dans l'application de la question même à même forçant l'autre à lâcher son trébuchement sloup overdose de tirer correctement le corner ça c'est le vrai exil n'importe où n'importe quelle heure le réel exil du nombril y en a que j'ai fait sauter seulement en leur mettant le doigt là sur le souvenir chiffré du cordon là tu rentres dans leur privauté en voiture c'est encore mieux tu peux appeler ça sonner à la porte l'interpellation osseuse c'est pas une question de chair c'est toujours plus sec plus soufré tu peux mordre et tirer la langue jusqu'à ce que tu sentes le bassin craquer le plus intéressant c'est quand on essaye de leur expliquer le secret de la mécanique réponse tringle-moi d'abord en train-train on verra ensuite si t'as le droit de parler je m'ouvre mais bouche cousue est-ce que tu m'aimes de toute façon ce que tu as à dire n'est pas très sérieux on l'a repoussé devant moi d'un geste en salle de rédaction l'un des types a dit c'est complètement con son truc ça veut rien dire c'est n'importe quoi tiens du coup je mettrais bien les mains aux fesses de sa bonne femme et elles la plupart se résument par viens dedans si t'es un homme sois père et tais-toi sinon t'auras droit aux électrochocs déplaisir trente quarante fois par jour machin me l'a dit il imite il écrit sans risques son langage est trop volontaire nous on aime que ça aille jusqu'au bout que l'auteur soit enfermé pour de bon qu'il risque pas de venir démentir les thèses ils se rendent pas compte qu'écrire est dormir d'un sommeil plus profond donc être mort et moi je dis que chez eux le travail de liaison se fait pas que quelque chose est infligé au langage peut-être un trop grand papa double face dogme régression corps à corps que pour eux l'impossible est au fond le sujet allumé d'ailleurs qui mais qui donc oh qui comment serait-il quelqu'un sinon perte disparition bonsoir et comment leur demander de le reconnaître ils prennent ça pour une plaisanterie ou du désespoir alors que roulement klaxon sourd écartant les voiles j'aime assez quand le malaise le malentendu gagnent en épaisseur il faut que le tourbillon s'y fasse peut-être qu'ils vont m'obliger à me flinguer pour finir accusé comme je suis de vouloir le deux en même temps de proposer la scission ils y voient du manichéisme alors que leurs borborygmes ne font pas la multiple voix une et liée multiple divisée liée disant l'un multiple le non-un le toujours et jamais multiple oh mon vide toi seul fidèle j'irai même jusqu'à dire tendre et fidèle et coupant horrible doux ponctuel terrifiant amical doux fidèle et présent traître et absent cœur d'œil vide monté sur couilles bite vides pas à remplir à combler mais vidant tout vidant et moi je dis qu'ils sont tous fascistes personne comprend ma doctrine du ni l'un ni l'autre et de l'un et l'autre et puis merde on s'en fout c'est sans doute cet épileptique est-ce bien lui qui a eu raison en disant que le seul moyen c'était de beaucoup souffrir et le jeune écrivain repartit en se disant que le vieux devenait gâteux que d'ailleurs il écrivait maintenant comme tout le monde ça s'est déjà fait cent fois et définitivement par x et y or moi la vérité j'ai le droit de mentir dans la forme qui me chante si vous voulez des accents mettez-les vous-mêmes c'est du sens et de l'histoire et du sens histoire et de l'histoire sens dans l'histoire que j'vous cause bande de noix à la petite semaine j'ai mon cycle à moi mes dépôts et on verra bien qui prend son élan de plus loin s'agit pas de répéter le robinet du hoquet de rester dans la tubulure faut plutôt s'claquer qu'autre chose mais le jour se lève quoi de mieux en mieux non de plus en plus lève faut surtout habituer l'ensemble à être poitrine main souffle voix foutre ambiant clarifié en force je vous dis salut ouais le salaud salut en personne c'est pas le bisexe qui me retient vois plutôt du pays qu'ils disent mon œil ma table est une parcelle de nature libérée pour ce qui est de la signification je suis d'accord avec vous sur le principe sur prolétarien et tout mais sur la dépense le tapis volant j'ai deux ou trois petites choses à esquisser dans notre intérêt le prenez pas mal c'est pas dramatique ah non rien à faire voilà qu'ils s'énervent qu'ils deviennent tous chouette poule bœuf ou paon faites pas les animaux quoi je suis un caillou c'est vrai mais enfin je suis aussi la rivière rien à faire voilà qu'ils se renversent qu'ils ouvrent les jambes ils veulent absolument l'organique pas de poudre pas d'écho sans bords mais si ça pense tout le temps j'fais quoi moi nom de dieu j'y fonce or ils prennent justement pour base ce que je passe ma vie à envoyer paître comment voulez-vous qu'on s'entende dans ce terrain vague si t'allumes pas ton vrai berbère tu seras privé de désert soyons sérieux on peut dire que kafka est mort sous la loi en la faisant agir jusqu'au bout l'enfer familial est une faible idée de la colonie pénitentiaire quelle vie quelle plaie de camper ainsi sur leur bord merdeux moulinette et la guerre des sexes tempérée par le schlourf ou le sublime dans l'impersonnel et les imprécations ménopauses les croyances débiles de l'anomalie ils en sont encore là moi je refuse que le sperme soit sanctionné poinçonné en tickets quel que soit l'programme je veux être seul c'est compris seul quand je veux aussi baigné aéré qu'au premier matin ça devient clair maintenant oui on a l'impression que tu ne fais plus de différences parmi les autres tu comprends c'est insupportable on dirait que tu transformes tout en ciment plus la moindre couleur dans tes jugements eh oui je fais plus le détail je sais à quoi m'en tenir sur leur désir ou pas que ce soit transcrit merde j'aurais jamais cru que ça entraînerait des bombardements pareils c'est la grande armada en piqué hystérophobie parano perverse avec ses secrétaires obsessionnels dans les coins bordel qu'est-ce qu'ils en veulent faut croire que ça leur plaît pas mais alors pas du tout général amiral colonel galons de ces dames le mouvement s'accélère depuis la fin du dix-huitième tiens disons par exemple depuis 1784 fondation de la société asiatique de calcutta qu'est-ce qu'on fout encore là-dedans c'est précisément ce que je te demande oh ces reflux la canne de nietzsche de nouveau le coup de la sœur bon n'y pense plus détends-toi tu vois bien que ça te rend fou reviens reviens sur les fleurs tiens prends cette jonquille cale-toi contre le caveau dans la mousse est-ce qu'ils chantent encore non on dirait que tout est fini j'aperçois là-bas des drapeaux rouges ils ont dû en laisser quelques-uns parmi les couronnes il commence à faire sombre à moi la pioche à moi la pelle à moi le blanc linceul un trou dans la terre où l'on gèle j'y descendrai sans qu'on m'appelle on dort bien mieux tout seul alexandre est mort alexandre tourne en poussière pourquoi ne pas s'en servir comme bouchon va donc dire ça à ta petite amie tu verras sa gueule eh je crois qu'il fait tout à fait nuit pas ici on va tomber sur les flics on prendra le métro plus loin quel endroit quel foutoir où elle est passée la spirale comment effacer sa voix je repense au coin de cheminée à sa langue aux bûches à sa langue aux étincelles à sa langue mouillée à la cigarette de l'un à l'autre à sa langue à ses yeux noircis pourquoi est-ce que certains corps débordent langue sur certains corps compte tenu des intérêts calculs investissements réglant l'horizon pourquoi est-ce que ça déborde en plus langue je lui dis nous on peut oublier mais le truc lui n'oublie pas et l'herbe elle-même n'explique pas la facilité de l'ensemble se rencontrer vient avant satori faudrait parler plus longuement de cette élasticité langue jouant la rétine voyons l'ombre de la prunelle ou plutôt voyons cette façon sous braise de rendre l'échange immédiat chacun faisant allusion au fond à sa propre évasion je pense que c'est aussi parce qu'elle avait connu la torture toute la gamme on voit aussitôt les yeux qui ont été bandés les tempes les nuques les cheveux touchés par le revolver énorme différence de la fille qui a pu constater physiquement la saloperie du père elle peut devenir par exception notre alliée comment libérer la femme de la femme là est la question de même comment débarrasser le mec du mec et peut-être alors chacun hors limites la séance réelle pourrait commencer au soleil on pourrait sortir du creuset crapuleux mariage and cie survie en couveuse petit feu d'intrigue miroirs enfin tout reste à faire prends-moi dans tes bras dépensons-nous dans le trou futur parions que les masses sauront trouver la sortie par tourbillon cellulaire allons-y tiens-moi glisse-moi dénoue-moi l'étranglé coulant initial mouille-moi ta rafale oh vas-y s'agit pas vraiment d'un coït de deux choses l'une ou bien reproduction fusion dans l'aveugle ou bien le brillant négatif amorce de la division allons-y la nuit sera longue les lumières s'éteignent nous brisons la terreur la machinerie genre tu barboteras dans l'bidet ou on t'fait la peau ama ama fuck quod vis la seule chose interdite c'est que la différence sexuelle se consume à vif et sans rien savoir casse la vitre qu'on touche à la source à l'englouti des rameurs tu comprends c'est là qu'la contradiction fait moteur espèce c'est là qu'la base temporelle se détache et se fixe dans les nuages l'intervention sur ce point les affole en tas il faut être deux et zéro pour capter le un en falaise éprouver le crime dans sa moitié éteins maintenant j'ai mal aux yeux donne-moi ton globe endormi ou alors fais-moi rebander comme si tu l'avais dans ton slip contre ta motte jamais un mec ne pourra l'évoquer si bien t'es mon garçon et je suis ta mère très vicieuse à t'observer jeune belle souple ta vivante fermeture éclair nous savons qu'il n'y est pas mais tant pis sui-vons la dérobe l'important se bascule prenons le levier là où il est il faut un poignet solide pour l'éventail à fantasmes la clé c'est le non-voulu voulu transvoulu voyons ils ne savent pas que l'on peut transformer le gravier en riz ou encore que celui qui médite est assis sur un arbre desséché dans une grotte ressemble à des pierres baignées par l'eau ils ne savent pas qu'il faut éviter d'ajouter une tête sur sa tête d'ailleurs rien à voir avec du savoir au fond je n'ai pas cessé d'être assis sur mon sol étincelant si j'atteins le point du muet rêvé avec la boule de feu chauffée à blanc dans la gorge si je deviens la nappe de mercure coupée reformée si je suis ce lézard c'est encore pour m'enfoncer revenir plus fort en surface la surface on n'en aura jamais fini de l'aborder écoutez ma nouvelle exposition des pre-miers principes mon système sur l'estimation véritable des forces vives d'où viennent les idées justes tombent-elles du ciel non voilà ma pratique sociale je peux m'expliquer là-dessus rien ne me gêne dans la préci-sion des machines et c'est à ce moment qu'elle a dit sans qu'on sache rien la montagne bleue tout était fluide moi j'étais plutôt bloc vide avec effet d'ombres brûlantes se tordant en haut je reprends l'aïeul à lin-ceul tout seul noé blanchi dans l'ivresse soi-disant pivot ou bien treuil et que disent-elles les filles de loth cause toujours bébé ce que tu dis ou rien c'est pareil papa légifère nous on a le permis de l'ancêtre mort la conduite que nous n'avalisons pas est donc annulée d'avance t'as le choix entre être avalé ou transformé en statue de sel nous on est la fondation du patriarcat ultérieur on peut le fissurer si ça nous chante le matriarcat antérieur est fait pour le ravaler au nom du père qui est notre postérieur dans les cieux y aura donc du fils uniquement pour tuer du papa fantoche les usurpateurs du boss le seul cas impossible étant fils gratuit en l'air diagonal passant le prof nous tient la chandelle toute l'usine est la vérité de la vérité faudrait pas interrompre la chaîne ça s'fabrique tout seul j'vois pas pourquoi tu s'rais pas d'accord qu'est-ce que c'est cette théorie du truc destiné à vivre éternellement dans les chants et qui doit d'abord sombrer dans l'existence tu plaisantes ou quoi hein qu'est-ce que c'est qu'ces manières tu vas porter les valises oui on s'en fout de ton vertige à musique l'étude du fœtus a montré que les couches internes de l'ébauche du larynx provien- nent ou bien directement du myocarde ou bien du mésoderme viscéral de la paroi latérale du pharynx comme le muscle cardiaque le larynx contient aussi de grosses veines formant plexus dont les côtés renfer- ment des fibrilles striées longitudinales et transver- sales bien entendu le nerf récurrent est à rapprocher des rameaux cardiaques du vague ces deux muscles fibrillent battent rythmiquement vibrent en se clivant et voilà je le dis comme je le vis oh mais qui donc me délivrera de ce corps sans mort les filles posent la question à l'école de façon à dire aussitôt quette avec un rire sacrément idiot kikette kikette et nous on lais- sait tomber les crayons les gommes et elles ouvraient lentement les jambes sous les tables pour qu'on voie leur petit duveteux renflé rien ne vaudra jamais cette luisante sensation de beurre jusqu'à leurs règles bien sûr et alors c'est fini mystère on rentre dans la production j'en veux qu'un on s'embrasse amour récitation des familles rendez-vous en fin d'après-midi fond du parc les pleurnicheries commencent moi j'ai tout de suite préféré le foot surtout à cause de l'herbe l'été culottes courtes et dans les coins main fiévreuse ouvrant les braguettes le réel désir je vais te dire je lui donne douze ans à cause des effets d'ombrage de feuillage il me semble qu'il n'y a plus eu de crépuscule depuis vraiment l'algèbre et le ballon voilà des souv'nirs et entre eux entre la craie et le caoutchouc la chaleur des bites dressées comme dans l'expérience de physique chimie au cœur des bambous naturellement il y a d'emblée les rapports de classes si t'es bourgeois tu peux demander et obtenir plus tu peux mieux comprendre même confusément en quoi tu explores les rougeurs les essoufflements de ta mère pourquoi tes sœurs deviennent de plus en plus sombres écrasées revêches happées par l'hameçon du marché c'est pas faute d'avoir frôlé des tas d'choses avec elles dans les fusains sur le terreau près des noisetiers ils ont tort de pas se fier à l'enfance sous prétexte que ça s'dit maintenant chez l'nouveau docteur leur littérature devient emmerdante c'est l'psychanalyste qu'a tout l'frémissement pour lui mais silence ça doit donner du cas général illumination bloquée disparue en poche vers quoi la reconduction pure et simple des rapports sociaux vise saisis bien leurs visages dans la rue derrière les vitres ici dans le couloir vois les grilles les rides les milliards pincements des muscles le coin des bouches sens ce torrent vinaigre rentré sous les peaux qu'est-ce que tu racontes pourquoi en auraient-ils la moindre idée à quoi ça sert pour une revendication concrète en quoi ça répare l'usure la brûlure jour avide après jour avide coulé d'heures de minutes de secondes avides elle me pollua légèrement dit juliette ses fesses étaient roses parfumées comme les premiers fruits du printemps nous voulons une coiffure solide le teint scandinave tout peut dépendre de la première rencontre surveillez votre haleine employez le déodorant long parcours colorez vos collants achetez les nouveaux yaourts à la fraise quel charnier vivant quel himalaya de haine quel mur d'anti-jouissance partout rétractilité centrée déployée pressée ménagère viens on descend ici on prend la dérivation sens cette odeur quel torchon moite fumé dans métropolis crois-tu vraiment que l'on puisse cacher une pensée pendant des siècles et comment tu sais bien crois-tu vraiment que la religion soit encore là parmi nous qu'elle monte avec nous l'escalier roulant et comment tantum religio potuit suadere malorum ah merde avec ton latin ta culture oh oh toi-même un jour peut-être vaincu par les récits effrayants des poètes sacrés tu chercheras à te séparer de nous c'est pas les occasions de croyances qui manquent à commencer par ton propre moteur aucune importance on va pas s'en faire pour si peu tu crois que tu vas tenir à ce rythme dans le refus général moi tu sais j'aime assez la guerre ça m'amuse au fond c'est plus dur pour eux que pour moi nous allons de certitude en certitude et eux de doute en doute au point que leur pouvoir se bouffe lui-même on les oblige à une telle censure qu'ils savent plus très bien de qui ou de quoi il a été question leurs victoires sont des échecs et nous si on réussit on s'identifie au succès si on échoue on s'identifie à l'échec ça va ça vient ils sont sur court terme on est sur long terme non réellement je t'assure on a tout le temps la vérité ne triomphe jamais mais ses ennemis finissent toujours par mourir et nous aussi on s'ra morts oui mais sans personne au chevet alors qu'eux t'imagines le derrière de tête la somme à payer l'ardoise d'oublis je veux dire que c'est déjà comme ça dans leurs intérieurs j'en appelle pas à l'apocalypse ni au jugement dernier non c'est dans la manière de vivre que ça tranche dans le fil à fil de la perception et voilà pourquoi rien n'est là et tout est ici maintenant et pas davantage ni ailleurs bien que l'ensemble soit reporté à plus tard ou vienne de nulle part la réalité est dans les deux sans quoi y aurait ni mémoire ni rêves voilà pourquoi la mort vit une vie humaine ce que tu peux vérifier chaque soir en regardant un présentateur de télé le savoir absolu a eu lieu point final ce n'est plus en interprétant que tu peux aborder la chose voilà pourquoi la ligne juste d'intervention n'est plus scolastique et demande éveillé la pratique révolutionnaire allons pour le reste quartier libre on n'a pas besoin de vérifier ton encéphalogramme le nombre de tes allées aux chiottes l'épaisseur ou la clarté relative de tes éjaculations sauf à retomber dans le bocal familial avec formol pour la salamandre voilà pourquoi y a pas un millimètre à céder sur cette petite question mais viens sortons respirons un peu la nuit noire je sais pas comment m'arrive toujours le même frisson à me glisser ainsi dans l'obscurité de babylone y a un moment où je me sens porteur de tout et de rien dans tout c'est peut-être une disposition coudée symphonique j'ai comme des traces de chasseur de marin de cavalier de sorcier de voleur de guetteur le nombre de fois où je me suis levé comme ça quand ils dormaient pour faire le tour de la maison sombre et la chambre des parents eh eh y aura peut-être de la bonne soupe primitive ce soir ils ronflaient un peu et l'un ou l'autre sifflait pour le faire taire moi j'avais et j'ai gardé l'impression d'être l'officier de quart embarqué pour prendre des notes pas une chambre qui n'ait été pour moi une cabine de bateau c'est comme quand je monte chaque matin dans le langage sur le pont ou dans les cordages sur la passerelle ici en plein air j'essaye d'apporter avec moi ce que j'apprends les répercussions par exemple cette insistance oui tu peux sortir de ta boîte osseuse oui elle frappe elle s'étend la nappe lumière orangée débordée sans toi je lâche devant moi les signaux de fer j'assouplis sans fin la rambarde l'eau jaillit en nappes courants plus foncés gouttes oiseaux piquant sur poissons fleurs des vagues bleu gris vert foncé des parois je m'assieds bien droit devant ma cantate je déplie les cartes je suis le forçat du fond de cale o vieille raison viande séchée empilée salée l'ancien bagnard qui s'enlève lui-même son anneau sa boule son collier de la longue-vue au radar il y a toute une modification des côtes première voix long cri rasant du liquide première voix redoublée seconde voix et troisième en fugue arrivée résolue du chœur très vite à peine trois secondes coups d'archets plaqués du rebord tacatacatac rappel du bois sans histoire das augenlicht l'étoilé des yeux ici une gorgée fourrée lapement de scotch éclairage j'oppose au monologue intérieur le polylogue extérieur en voilà assez avec le radotage de la poupée avec l'intimidation le moindre ton de commandement avec le bœuf pourri plein de vers c'est la révolte peut-on dire qu'il s'agit encore du logos ça m'étonnerait si j'en juge par les vérifications du réel je connais la passe vers l'île au trésor je mène une expérience nouvelle pour l'humanité jamais personne n'est passé par cet endroit quelle eau quel cristal quel sable quel corail et crois-moi c'est alors qu'on devient modeste à vingt mille lieues sous les mers vos froncements de sourcils sont dissous dans un tourbillon d'algues ça vous stupéfie pas vrai ces écarts ces embardées vous dites c'est

une tempête dans la mer noire c'est le combat surna-
turel des quatre éléments primaires c'est une lande
dévastée c'est une scène d'hiver polaire c'est la débâcle
des glaces au fleuve du temps tandis que pour moi tout
est calme ce qui ne veut pas dire qu'il n'y a pas la mort
dans cette affaire une entrée subite en vrac sans avoir
le temps de dire ouf de l'homme dans l'éternité ah
peuple d'huîtres prenez mon corps si vous voulez il
n'est pas à moi que le bateau soit brisé et ma carcasse
avec s'ils le veulent pour ce qui est de défoncer mon
âme jupiter même ne le pourrait mieux vaut périr dans
cet infini hurlant que d'être rejeté aux terres sous le
vent quel romantisme facile nous dira mémé qui veut
sa ration comme c'est confortable quel égocentrisme
quel délire inhumain tu échoueras c'est sûr je voulais
te sauver te rééduquer sortir avec toi dans le monde
ton rire est vraiment inadmissible ça te coûtera cher
eh allez-y montez les prix votre monnaie n'a plus cours
notre cale est pleine de tonneaux de sperme je suis le
jonas moderne je n'ai pas le temps de ramper vous ne
pesez pas lourd dans mon univers de prose tout neuf
les petites constructions peuvent être achevées par
les architectes qui les ont conçues mais les grandes les
vraies laissent toujours leur couronnement à la charge
de la postérité l'immortalité n'est que l'omniprésence
dans le temps seulement voilà il ne sert à rien d'éclairer les profondeurs et toutes les vérités sont profondes
nous voilà avec notre corps debout dans le soleil comme
dans un palais de merveilles mais descendez sous les
fondations dans les civilisations disparues sous l'entassement des siècles ah ce blanc ce blanc ce blanc vous
comprenez c'est fini votre manie du portrait mieux
vaut reconnaître honnêtement que jamais personne ne
sortira le truc de son élément ce qui fait qu'il garde ses
sinuosités ses puissants gonflements ses marques indé-

chiffrables et donc toi aussi tâche de rester chaud parmi les glaces sois frais sous l'équateur garde au pôle ton sang liquide sois toujours ailleurs le moment est venu pour toi de ne plus rêver que tu es attaché sur planète sois tranquille éclair stable comme un lotus jaune chaque atome a son double rusé dans l'esprit pourquoi essayez-vous d'élargir subtilisez subtilisez la vraie baleine a été un stoïcien et le cachalot un platonicien qui aurait lu spinoza dans les dernières années de sa vie or pour ce qui est de la vérité vous n'êtes qu'un provincial sentimental si vous n'admettez pas la baleine pourquoi l'accouchement n'est-il pas enseigné comme la boxe l'équitation la rame la gymnastique les langues étrangères le piano l'auto afin que chacun soit comme un lion des eaux un dragon de la mer nous sommes encore loin n'est-ce pas d'avoir les écoles qui nous conviennent mais toi qui liras ceci dans ton coin sache que tu as raison ne te laisse pas entamer six mille ans sont comme un dixième de seconde pour la question non posée j'ai rarement connu un individu profond qui ait quelque chose à dire sauf s'il a été obligé de balbutier quelque chose pour gagner sa vie rien ne peut toucher l'étincelle sans blague eh oui la démence de l'homme est la sagesse du ciel absurde frénétique dérisoire pour la plupart sauf pour ceux qui savent écouter la rumeur concentrer leurs aspirations résumer abréger devancer plonger o tisserand affairé invisible arrête un mot pourquoi ces travaux incessants un instant parle mais non la navette file les figures sortent en flottant du métier le laminoir les cuves ne s'interrompent pas une seconde on dirait que la production veut mimer de plus en plus le mouvement perpétuel se rapprocher du cœur naturel qui nous dresse ici et nous qui regardons la fabrique nous sommes assourdis par son bourdonnement c'est seulement quand nous nous écartons que nous entendons ses milliards de voix qui fonctionnent à travers la vie enveloppe la mort la mort trame la vie je suis l'image je suis le tapis je suis la machine et l'image de la machine et la machination de l'image et son bruit souvent on entend parler d'écrivains qui s'enflent avec leur sujet bien que celui-ci soit tout à fait banal ordinaire mais comment en serait-il de même pour moi qui écris enfin sur le sujet des sujets inconsciemment ma frappe s'épanouit en soufflets de forge en raffineries flamboyantes surgies dans l'désert donnez-moi des ordinateurs des hangars de fiches perforées toutes les sciences les panoramas des nations économie comprise le thème me fait grandir à sa taille aucun volume gros et durable ne pourra jamais être écrit sur la puce bien que beaucoup s'y soient essayés les choses ont évolué depuis l'arche je suis emporté par la marée si ça me plaît de nager dans ce plan pourquoi pas des siècles avant la naissance de salomon ou des pharaons sur l'emplacement de new york des tuileries du château de windsor du kremlin de la place de la paix céleste ou du sahara ne suis-je pas une abstraction pure une intégralité infractionnable comme un nouveau-né il faut donc que je trouve un creuset où me fondre jusqu'à n'être plus qu'un petit abrégé d'os voilà non non ce qu'il y a de beau ou de terrible dans l'homme n'a jamais encore été mentionné dans les livres non seul un auteur revenu de chez les morts peut raconter comme il faut seul celui passé par le feu ah bon vous trouvez ça drôle amusant désopilant tant mieux achetez notre dernier catalogue postures système pileux apparent nos vibromasseurs nos femelles entre elles nos mâles entre eux nos orgies full color clichés au moment précis foutre en gros plan lèvres juteuses anal sex animal lesbian delight homo action voilà voilà le système est forcé

d'avouer tout cru son ressort c'est pas trop tôt si l'on
y pense deux femmes sur un homme trois hommes
sur une femme la dose pour commencer pour finir
jeux divers les clés de la bible bon me voilà au large
bien que je sois né sur la terre j'ai été nourri par les
mamelles des mers et malgré le sein maternel des vallées des collines je suis le frère de lait de toutes les
vagues de l'eau joue comme il faut joue le feu meurs-
en au milieu de l'impersonnalité générale il faut aussi
que se tienne quelqu'un toute lumière que tu sois tu
sors des ténèbres moi je suis les ténèbres qui entrent
dans la lumière je sors de toi o toi orphelin de feu
saute saute et lèche le ciel je saute avec toi je brûle
avec toi je voudrais être soudé à toi nous sommes dans
les canaux inconnus de la philosophie n'est-ce pas qu'ils
ont toujours manqué d'océan moi seul je m'échappe
pour venir te le dire moi seul moi seul ici tu laisses
dériver le soupir il faut qu'on ait l'impression d'un fantôme qui s'éloigne dans le petit jour style remember
me nevermore qu'est-ce que tu en penses pas mal ça
pourrait faire un sketch un court métrage tu crois dans
ce pays tu penses pas qu'on devrait s'exiler partir non
le cœur du poison n'a pas dit son dernier mot regarde
la ville on dirait rien mais tout travaille en coulisse il
faut s'effiler l'odorat la vue le distributeur d'énergie
tiens si on s'asseyait là dans le square j'ai besoin de
verdure j'aime les acacias dans la nuit tu sais j'ai toujours été un peu somnambule je te fais des confidences
ce soir tu crois qu'il y a des poissons rouges dans le
bassin peut-être ils en mettent maintenant autour des
immeubles et on les retrouve huit jours après ventre en
l'air à cause de la pollution ça me rappelle celui qui a
dit que la rotation de la terre serait plus terrible que le
néant et de plus en plus allons allons pas d'emphase
mais si justement je dis que si ton regard était plus

subtil tu verrais toutes choses se mouvoir comme le papier brûle se recroqueville s'envole je dis que nous ne sommes que la cendre d'innombrables êtres vivants et pourquoi ne réussirions-nous pas avec l'homme ce que les chinois savent faire d'un arbre d'un côté des roses de l'autre des poires tu comprends une journée nous paraît longue par rapport à l'impression d'un insecte mais après tout la circulation de notre sang pourrait avoir la durée d'une orbite planétaire ou solaire et en même temps nous agrandissons tout est réellement plus petit plus lent plus riche de mouvements ah c'que j'peux aimer l'odeur des plantes pourries partout la végétation libre est un signe percée retour corps distant chantant je ne peins pas l'être je peins le passage d'ailleurs je ne peins rien du tout je me sens vraiment high quand accepterons-nous l'impermanent l'absence de signature la disparition du sceau à l'intérieur pieds joints et bonsoir il est temps d'aller à la réunion camarades la nature actuelle des contradictions entre ouvriers et direction ne fournit pas à elle seule une explication satisfaisante l'antagonisme direction maîtrise d'une part masses ouvrières militants révolutionnaires d'autre part était tel la montée des luttes si menaçante que seule une provocation fasciste pouvait arrêter le processus et permettre aux patrons et aux chefs de reprendre la situation en main la situation financière d'ensemble est mauvaise l'usine tourne en surcapacité à l'embauche bloquée la direction ajoute une compression du personnel parallèle au renforcement de l'exploitation de l'oppression donc licenciements mutations augmentation des cadences aggravation des conditions de travail je renvoie au rapport de la commission d'hygiène la question des poumons certes il y a peut-être quelques divergences parmi les pontes sur les moyens de rétablir pour eux la situation rentabilisation de la production par militarisation de l'usine en tuant un révolutionnaire la contre-révolution espère montrer que l'initiative des révolutionnaires est étrangère à la situation concrète qu'elle relève de la pathologie politique elle espère dessaisir les masses de la vraie question de la violence elle espère isoler la gauche du centre gauche et pouvoir ainsi l'éliminer elle compte rejeter les masses du côté de la répression légaliste de la cgt ce dernier point est essentiel la seule force capable d'organiser une capitalisation politique réactionnaire de la provocation c'est la cgt l'attentat est une perche tendue aux révisionnistes ils la saisissent à pleines mains ils ont pour cela de bonnes raisons ce sont bien le pcf et la cgt qui ont tenté d'exploiter à fond le meurtre fasciste dans une opération d'encerclement et d'écrasement des révolutionnaires mais au niveau d'ensemble j'insiste sur ce point ils sont effectivement battus les manifestations antirévisionnistes du lundi 28 février et du samedi 4 mars sont des manifestations victorieuses le mouvement démocratique révolutionnaire est apparu soudain y compris aux yeux de la bourgeoisie comme une force politique de masse capable de rompre l'encerclement révisionniste et bourgeois au-delà de la simple solidarité antifasciste les masses n'ont pu cimenter en fait leur cohésion qu'en s'opposant frontalement aux révisionnistes le fait politique est nouveau c'est la dénonciation de masse du social-fascisme l'analyse est correcte une bonne analyse est toujours souplement fermement dialectique il y a dans ce qu'elle dit tout ce qu'elle ne dit pas d'évidence incompréhensible pour celui qui n'est pas dans le coup qui n'est pas exposé aux coups encore une fois tu comprends un corps n'en vaut pas un autre nous sommes ici pour commencer à éclaircir le continent balafré usé sanglant fonctionnant l'échelle des corps dans le courant comment forcer la tête à le laisser être à prendre conscience de tous les claviers qui la modulent objectivement quel orgue à démonter à refaire quel boulot les nœuds les boulons les dépôts les jointures les pattes antiques le cu féodal le thorax bourgeois et puis la lutte entre ces deux crânes front contre front boîte fermée contre boîte ouverte cercueil ou tambour crevé notre objet n'est ni l'homme ni ce qui lui manque peu importe que la circonférence ou le centre soient partout et nulle part l'homme est une maladie de peau de la terre la terre une tumeur de l'espace l'espace un rêve du temps le temps le déroulement du vide en soi-même plus loin que soi-même l'histoire fait apparaître les lueurs les étincelles volcaniques abstraites de la nature en train d'embraser le négatif criant silencieux oui l'époque peut être définie par la tendance générale est à la révolution j'ajouterai que le dehors maintenant vient se mêler très étroitement du dedans et c'est pourquoi nous roulons chaque nuit en canoë en pirogue tu ne te sens pas un peu souris dans tout ça obligée de passer de son trou à une étendue plus sombre nous sommes dans l'étage intermédiaire des sous-marins des fusées après l'air avant l'eau avant l'air et après le vide comment appeler ce pli vloux peut-être avec vox et lux emportés sautant écoute ça me rappelle la chorale les motets de palestrina young boys and women are sheep of the same cattle j'étais soprano soliste chargé de la tulipe fugitive évocation du castrat oh la mue la mue la courbure l'approximation les chanteuses sont trop travaillées trop rondes les basses les ténors ont déjà perdu la blessure la musique est faite pour être juste un peu fausse à côté tremblée c'est comme le sexe au fond quand il est saisi dans sa gorge le décalage le torrent surpris un deux trois hop miserere nobis comme les dalles polies des églises sont près du palais enfin n'en parlons plus chaque chose en son temps nous sommes dans les nouvelles catacombes personne ne sait ce qui sortira la responsabilité de l'écrivain est probablement de garder d'annoncer de suggérer le sens de la totalité impossible le désir éraillé du tout discontinu défait enflammé the nature of infinity is this that every thing has its own wortex and every moment a couch of gold for soft repose a moment equals a pulsation of the artery how do you know but every bird that cuts the airy way is an immense world of delight closed by your senses five il y a beaucoup de sagesse dans ces détails mais on s'en fout de ta sagesse tu vois pas qu'on doit se battre immédiatement dans l'écrasement tu vois pas l'urgence la misère l'exploitation les tonnes de béton sur les corps l'abrutissement les tâches concrètes modestes oui mais ça deviendrait vite absurde sans le souvenir d'ensemble il y a une métaphysique aussi du concret concret beaucoup de nos camarades sont en pleine foi non critique je vois pousser des cornettes dans l'humanisme je sens des soutanes dans le placard la vieille vengeance contre l'exception se redissimule la grande mère a tendance à revenir avec ses châtrés comme chaque fois que le sol s'ouvre avant une ébullition la voilà qui recommence à se faire l'interprète de la soi-disant basse originelle du cu de la loi du premier grand pet terrifiant bébé ah on ne parle jamais et pour cause des décharges tonitruantes de papa maman la nuit quand ils ont trop mangé leur rôti ou leur cassoulet j'en ai encore le tympan meurtri attristé et d'ailleurs leur intonation continue à me fatiguer les oreilles quelle morve dans leurs fosses nasales mauvaises vibs ratage de la mayonnaise à quel point leur énonciation les résume je me demande si cette science pourrait être fondée on aurait les raccourcis en tous sens que de temps gagné dans sa force

quel renouvellement dans chaque souffle quel retour
du regard on appellerait ça la négativité au travail ou
mémoires du néant ou négations de la négation de la
négation ça s'rait plein d'entailles ruisselantes mon
idée c'est d'être un champignon une fleur dans le soulèvement ou plutôt le massage des grands tournants et
pas seulement une fleur mais cent fleurs cent mille
cent milliards ça pousse vachement mieux par-delà le
bien et le mal en un siècle progrès fulgurants incurvé
lové expansif tous les matins je flotte dans les autobus
je me sens pigeon dans chaque gouttière qu'est-ce que
tu veux c'est plus fort que moi j'ai les étoiles dans l'œil
ils ont fait allusion à ça dans l'expression la preuve
évidente et le coup tranchant ou encore majlâ où les
formes du monde se révèlent les unes aux autres l'ordre
est mouvement se dégageant du repos c'est comme le
temps en effet si l'on veut dans une phrase le connais-
sant le connu la connaissance et merde le pays natal le
feu le lait le sommeil l'extinction le parfum la forme
disent-ils encore constitue la plus haute la plus éclatante la plus parfaite des parentés et tu as le battement
de l'aorte répétant sois sois sois sois sois sois sois dans
aucune langue ou alors qu'est-ce que c'est ce sens des
langues toujours au bout sur le bout jamais jusqu'au
bout des langues ni fil ni racine cauchemar d'étymolo-
gie la couleur de l'eau est la couleur de son récipient
point de contact irradié viscosité de la libido le fer
est attiré par l'aimant mais lui n'a ni forme ni figure
c'est pourquoi s'il est semblable à lui-même il est dissemblable de tout le reste et telle est la différence du
semblable avec le dissemblable qui produit le semblant
oh là là que tu es obscur énigmatique y en a marre de
tes envolées mystiques laisse-nous rédiger tranquillement toute vie sociale est essentiellement pratique tous
les mystères qui détournent la théorie vers le mysti-

cisme trouvent leur solution rationnelle dans la pratique humaine et dans la compréhension de cette pratique oui vraiment oui ou alors continue tout seul ça n'intéresse personne mais non mais non tout intéresse tout le monde c'est le nouveau monde socialisme amoureux hein mais non je propose l'examen survol des différents niveaux le pouls et l'ordre du jour la lutte des classes mon vieux désolé la lutte des classes bon allez au meeting on dirait que personne veut écouter les arabes que personne veut entendre leur litanie arrestation assassinats tortures destructions camps répression ils sont tous là palestiniens tunisiens marocains iraniens turcs irakiens égyptiens avec message de solidarité des grecs et des fédérations de l'afrique noire le type à côté de moi sait pas lire son texte il faut lui souffler les accents lui séparer les syllabes aujourd'hui dans le monde les nations veulent l'indépendance les peuples veulent la révolution quand tu dis l'impérialisme n'oublie pas d'ajouter systématiquement ses complices insiste sur la résistance armée il faut dire que ça fait une drôle de forêt je vais vous citer les noms les dates les différentes catégories la manière habituelle de se débarrasser des cadavres les rouages derrière la couronne les geôles du pouvoir la corruption des fantoches les phosphates les boîtes de nuit ah méditerranée moyen-orient afrique y en a pour quelques siècles vous n'avez encore rien vu voilà une heure que le mec qui soutient la gauche de l'assemblée attend l'occasion favorable ça y est vas-y plus de périphrase vive la pensée maotsétoung et aussitôt ils sont debout ils applaudissent ils crient les modérés libéraux de droite sont bien emmerdés ils voulaient un truc humaniste avec lecture des protestations signatures personnalisées mais les six cents dans la salle ont saisi la situation pas de doute ils sont pour la gauche on va pouvoir durcir un peu la motion tu peux supprimer la dernière phrase tu peux rajouter l'adjectif non inutile de pousser il faut isoler calmement les révisos de façon convaincante il faut que ça vienne des masses qui en ont ralbol du baratin légaliste justifiant pleurnichant couvrant les forces féodales annonçant leur libéralisation pour demain voulant distinguer les étudiants des paysans et des ouvriers les attirer au privilège culturel enfin bref le bordel habituel je trouve qu'il aurait fallu laisser parler une fille y en a marre toujours une tribune de mecs je suis pour qu'on gratte chaque fois au point sensible pas au premier plan mais sans faire l'impasse sous prétexte qu'on verra après c'est comme les questions de langage on dit c'est pas urgent c'est secondaire et paf on traîne l'infection avec soi les stéréotypes on livre les sujets au relâchement ennemi donc les adversaires acharnés du divorce sont aussi les adversaires acharnés du planning de la contraception de l'avortement de l'éducation des masses tous ces problèmes ont en commun leur caractère politique le fait de remettre en question une société patriarcale et capitaliste fondée sur la famille et l'asservissement de la femme ou sa fétichisation ce qui revient rigoureusement au même culte de la mère tremblement des fils le mariage a été une des premières formes du droit de propriété et il l'est resté le passage de la chasse à l'agriculture amène la transformation de la propriété tribale en propriété familiale la femme passe de la propriété de son père ou de l'aîné de ses frères à celle du mari le mariage naissant du désir de l'homme d'avoir des esclaves à bon marché et de ne pas transmettre ses biens aux enfants des autres hommes en latin famulus veut dire esclave domestique et familia ensemble des esclaves appartenant à un même homme le rôle de la femme est de reproduire l'espèce de transmettre l'idéologie sexuelle-

ment réprimée elle réprime à son tour et l'école autre
épouse docile du capitalisme alma mater prend le
relais but à atteindre suppression de la vie sexuelle
infantile et juvénile mécanisme par lequel se construi-
sent les structures caractérielles assurant la servitude
politique idéologique économique moi je pense qu'on
n'insistera jamais assez là-dessus y a qu'à voir comment même les plus libres ont encore la trouille de leur
enfance la peur dans le noir le baiser avant d'aller
au lit la masturbation dictée destruction de l'intelligence tu parles atteinte au savoir en même temps
lueur d'intérêt inoubliable dans l'œil des parents l'étincelle comme s'ils se disaient eh eh la terre tourne ça
marche le shaker fonctionne le four est allumé bon on
peut dormir sur les deux oreilles tant qu'y aura des
hommes ils pourront se demander ce qu'ils foutent là
c'est pas qu'on l'sait c'est pas qu'on l'sait pas nous
vivons comme si l'un de nous un jour devait tout comprendre la croyance est émouvante d'ailleurs encore
une fois c'est pas faux non plus dieu sait qu'à l'intérieur y a d'sacrés moments transparents des visions
globales comme si on tirait l'rideau du cosmos des ins-
tantanés avec frémissement chant du monde sens caché
révélé fracturé désert au fond quand la pensée est bloquée c'est qu'elle vient se rassembler autour d'un nom
d'un désir de nom d'un nombril allez ça recommence
l'identité la photo l'empreinte digitale la plante comme
on dit des pieds le gros orteil la mouillure la recharge
en couilles la lune les marées allez j'te suiffe la bouteille hypothèse du big bang inspiration expiration les
galaxies s'éloignent les unes des autres comme si elles
se trouvaient à la surface d'un ballon que l'on gonfle-
rait rapidement voilà l'impression qu'il faut demander
au coït sans quoi quelle barbe le coup d'la fusion de la
captation la crèche l'étable le meuh meuh d'la belle et

la bête cette dernière mugissante redevenant après opération le prince charmant voilà ce qu'on apprend aux enfants si la belle accepte d'aimer un bœuf elle aura un œuf ou alors disons qu'il y a une interprétation plus profonde à savoir que si la matière jouit dans le cœur même de sa répulsion la pensée pourra en surgir comme un seul homme ce qui ne signifie pas qu'il faut oublier que l'électron est au grain de poussière comme le grain d'poussière à la terre entière quoi qu'il en soit je maintiens qu'on peut avoir une vue agréable sur toute la baie à ce moment-là illuminée clapotante chauffée froide sous son manteau je maintiens que l'expérience est tenable le temps de se déshabiller et de se laver les dents t'as sommeil tu veux te coucher non bon sortons c'est trop enfumé c'te région dis donc tu sais que si quelqu'un pouvait nous suivre à la trace ou sur un écran il aurait l'impression qu'on n'arrête pas de bouger d'entrer de sortir de traverser les enclos les salles vu à la fois en réduction ça doit faire mouvement brownien ça doit vérifier les lois générales du moléculaire est-ce qu'il y verrait tu crois le procès pas sûr c'est marrant comme ils pensent toujours que le tableau se fait devant eux peinture perspective et ils sont là gros sujet devant leur patte de lapin savant froid équations cornues microscope d'accord ça fait décoller le boeing ça allume les polaris d'accord les vaccins les chambres à bulles mais l'envers c'est tétine passionnée farouche à moi à moi à moi à moi principe de plaisir automatique ronron du mental désir putain quelle idéologie que la science quel principe de la queue non vue maintenue le philosophe en bonnet de nuit colmatant les fuites la peur des voies d'eau dans le sous-marin et chez nous aussi ça continue d'effrayer de frapper à la porte d'entrer brusquement pendant qu'on dort ouf les irruptions de mémé échevelée furibonde venant vérifier si on ne joue pas avec le petit robinet dans les derniers jours kant tombait sans cesse pendant qu'il lisait la tête dans les chandelles chaque fois que cet incident se produisait il se conduisait avec une grande présence d'esprit sans se soucier de la douleur il saisissait le bonnet flambant le tirait de sa tête le déposait tranquillement à terre et éteignait les flammes sous ses pieds mais la vérité m'oblige à dire qu'il ne pouvait plus se souvenir des lettres de son nom et pourtant dans les plus profondes dépressions devenu parfaitement incapable de s'entretenir des affaires ordinaires de la vie il savait encore répondre avec une correction et une distinction véritablement extraordinaires à toute question de philosophie et de science géographie physique chimie histoire naturelle or pendant les quinze derniers jours il s'occupait à un travail qui semblait non seulement dépourvu de but mais en lui-même contradictoire vingt fois à la minute il détachait et rattachait son foulard et de même une sorte de ceinture qu'il portait sur sa robe de chambre cependant à la cathédrale après le rite funéraire accompagné de toutes les expressions possibles de vénération nationale il y eut un grand service musical admirablement exécuté puis les restes mortels furent descendus dans la crypte académique et là il repose parmi les patriarches de l'université paix à sa poussière et à sa mémoire éternel honneur alors on ne salue plus dit le capitaine non on ne salue plus dit l'oiseau ah bon j'croyais qu'on se saluait dit le capitaine il paraît qu'en mai y a eu un type pour faire cuire ses œufs sous l'arc de triomphe mon oncle pleurait en me racontant le drame de la tranchée des baïonnettes ça le bouleversait les types enterrés vivants il avait été choqué par le fait que les officiers envoyaient toujours les noirs en première ligne il était tout de même confus dans ses expressions peut-être le fait d'avoir été gazé le souvenir de l'achèvement des blessés l'homme est un boucher hésitant en un sens on peut dire que le sujet n'arrive pas à suivre sa propre technique il se donne les moyens vois-tu et reste très en deçà il ne coïncide pas ou alors une fois sur mille c'est cette barrière du cordon ombilical qui l'égare sa jouissance la plupart du temps est furtive honteuse vite essuyée aucun rapport avec leurs possibilités à elles capables de s'étirer dans tous les sens de faire la chatte à longueur de temps j'ai un copain qui est allé dans un truc spécial où une bourgeoise se faisait baiser par quarante types sur un billard eh bien c'est un vrai matérialiste mais après le vingtième il vomissait presque il y tenait plus de voir la fille ron-ronner les yeux révulsés blancs la vulve dégoulinante l'extase mais si on lui avait demandé quoi raconte elle aurait répondu ben rien quoi mais à quoi tu penses à rien mais comment ça vient tout seul oui elles disent souvent qu'elles se branlent cinq ou six fois sur les sièges simplement parce que ça les tire ça gonfle parce que l'irrigation a eu lieu à côté de quoi le mec a l'air forgeron avec son tuyau péniblement obstiné style douanier gendarme remarque j'ai essayé je crois qu'on peut obtenir des résultats inédits y a eu une époque où je m'installais l'air de rien devant une kiosquiste pull montant peau rose on aurait dit une fleur au milieu de tout un bouquet de bonbons de jouets de gadgets divers elle parlait gentiment aux enfants de façon un peu ambiguë peut-être bon tout y était les arbres les feuilles la couleur du ciel elle savait très bien ce que j'allais faire et précisément la technique consistait à ne rien faire d'apparent pas de main dans les poches non pas de grosse cavalerie le problème était de devenir peu à peu son bas-ventre caché tout en lui laissant sa poitrine et elle commençait à pousser ses seins est-ce qu'elle remuait un peu sur son petit banc à peine on se regardait disons une fois sur dix contrôle rapide t'es là oui ça vient oui ah la rainure tu sais quand on dit que l'eau chante et y avait chaque fois un peu de vent le fond bruité des oiseaux et des promeneurs moi j'étais branché j'avais l'inconscient général les mères en train de faire sauter leurs bébés en tout bien tout honneur la ronde des gardes les jardiniers les amoureux occupés à éluder la question quelques pervers agités out quel mutisme soudain tombant sur la ville quel enseigne-ment de base à travers les titres de journaux sur les routes cent soixante dix-huit personnes qui étaient parties insouciantes ne reviendront jamais plus les ani-maux aussi ont leurs problèmes sexuels aimer c'est d'abord faire confiance adoptez le slip éminence non non aucune contrainte elle adorait ça la deuxième fois elle ne mettait déjà plus de soutien-gorge elle se mor-dait plus souvent les lèvres et vraiment l'espace entier se mettait à transpirer finement presque rien une pelli-cule même pas humide ça montait ça redescendait ça montait vraiment une décharge pas comme les autres la réunion des cinq sens j'avais l'impression de passer dans l'atmosphère d'ailleurs l'atmosphère en partant du souffle n'est pas autre chose là tu sens le cerveau direct ouvert en filet évidemment c'est un exercice une série d'accords c'est un peu du tir à blanc si tu veux mais extra nous ne nous sommes jamais dit un mot ou peut-être si quelques phrases par exemple qu'elle aimerait être sucée pendant des heures partout y com-pris le cu qu'elle a toujours aimé regarder les types se branler mais que mon histoire c'est nouveau ça l'excite il vaut mieux se taire je ne conseillerais à personne de se livrer à ce test c'est comme écrire il vaut mieux que ça suive ses propres voies et la voie vraiment voie est autre qu'une voie constante il y a beaucoup d'élus mais

peu d'appelés je suis pour l'égalité des chances devant
la nature et la société mais dans ce genre que veux-tu
tout le monde ne peut pas être contrebassiste remarque
bien que je plaide pas spécialement pour un vague
polymorphisme je dis un vous devez connaître le système dans ses variations deux il n'y a ni code ni règles
trois l'important est de ne pas se fixer en amour comme
à la guerre on ne peut faire qu'une fois le coup du
concert avec lâchage de hannetons quatre l'essentiel
est que votre quille éclate que vous alliez à la mer les
machins de surface sont nécessaires je viens en fait de
parler d'un entraînement périlleux qui réclame un
sens élevé du calcul une passion pour l'élément le plus
trouble des mathématiques une manière spontanée de
traiter le réel dans son cadre géométrique pourquoi
disent-ils que le réel n'est pas la réalité sinon pour laisser à cette dernière sa grisaille soi-disant inévitable
bref une conception un peu orientale de la topologie
sinon les risques sont grands de s'enliser dans un plat
orientalisme t'as vu mon gourou mon beau loup-garou
kangourou à la limite je comprends qu'un certain
nombre d'indiens sans emploi profitent du phénomène
chacun son joueur de raga le tibétain chez soi le lama
pour se finir hors cervelle le tantrisme dans le parti
l'écureuil dans la roue de la loi cool cool be cool évidemment le vrai sport reste la surprise absolument
inbitable le choc noir ad hoc je dis noir parce que ça
coupe en déflagration ce qui ne veut pas dire simplement castrature et tout le bazar avec rite classique
à cigare encore que c'est vrai qu'ça permet d'échapper au grand fourre-tout de mémé à continuité voile à
voile non je dis noir vraiment parce que ça déplace les
cases du jeu qu'ça transforme sec le joueur lui-même
qu'ça lui apprend ce qu'il savait mais il n'osait pas on
a dilué l'aspect dans la notion de réminiscence entité

spectrale alors que slouf pas brutal lâché 360° sur ton vide et voilà pourquoi la vie du poète banni de la république est une allégorie perpétuelle dont son œuvre est le commentaire dixit keats qui keats un anglais keats qui aimait les chats c'est d'ailleurs la raison pour laquelle je me donne parfaitement le droit de reparler de l'amour ouais t'es pas fou tu rêves t'as bien entendu sans quoi faut avouer que ça manquerait on pourrait rester devant le miroir pendant dix mille ans mais amour là évidemment dans un sens strict je demande un brevet une garantie une composition inconnue malgré l'apparence on trouvera le titre au moment voulu moi je dis quand même amour par goût personnel du paradoxe parce que bien entendu peu de chose à voir avec la cochonnerie vendue sous ce nom n'empêche que nous avons besoin du romantisme révolutionnaire d'un certain sérieux nouveau style brillant décidé d'un vice qui nous obéisse de partenaires qualifiés ralbol de l'exception à la triste figure de l'anthropophage onaniste camembert à dérivation homo hétéro non les flics ne pourront pas défigurer notre programme je dis au contraire qu'avec ça nous nous installons au cœur du pouvoir qu'on le fait sauter si on tient sur les points obscurs quoi qu'il en soit je veux voir les gens jouir en cherchant pourquoi je vous prête mon corps prêtez-moi le vôtre détendez-vous les uns les autres d'abord vous deviendrez moins cons c'est sûr le problème étant d'avancer en vivacité de pas vous amollir de garder l'abrupt mais en fait je crois que ça démarre pas mal les vrais amateurs se reconnaissent de plus en plus vite ils seront nombreux la vieille conception en tout genre fera très linge sale certes encore beaucoup de travail à faire ne soyons pas impatients c'est pourquoi je vous demande frères et sœurs de prier pour moi à l'improviste pendant que je tourne autour de notre

globe dans notre intérêt celui tout compte fait de
la transmutation des valeurs et tiens la scienza nuova
la philosophie moderne se fait d'abord à coups de marteau je me demande comment il a fallu tellement de
temps avant qu'un type saute en plein saint-pierre
de rome sur la pietà de michel-ange et lui foute un bon
coup sur la tronche pour annoncer que c'était fini le
règne de mémère et du fiston mort de madame avec
queue pendante au profit de paparano salut l'anté-
christ qu'est-ce qu'on a entendu comme conneries sur
ton compte salut brûleur de vierges à l'enfant tu imagines ces légions de peintres mignotant leur petite
madone à pénis et dire que certains d'entre vous
auraient l'audace de suggérer que je délire ah l'humanité est amusante surtout par le nombre de ses salades
ça m'étonne pas qu'ils aient l'impression d'avoir été
chassés du paradis d'être écartés de leur flot moi aussi
j'ai mes visions moi aussi je sais qui garde l'entrée
lumière le lové le sinueux le dépressif le fatigué le
refoulant refoulé l'excitateur l'empaumé mais non
c'est pas l'phallus encore vos symboles ça s'rait bien
plutôt son absence que vous recollez partout en présence garde-à-vous sur la moindre menace de trou ou
plutôt ni sa présence ni son absence tout bonnement
sa croyance glissée sous les jupes de votre passé bref
la peur et vraiment rien d'autre foi d'explorateur il
ne faut croire que les témoins qui se feraient égorger
même et y compris par la social-technocratie je te jure
que c'est pourtant à la fois évident et très compliqué
de voler dans ces parages aller dans la lune n'est pas
grand-chose à côté t'es déconnecté la radio marche
plus c'est comme si t'avais changé de galaxie un
moment t'aperçois encore la terre pareille à un vase de
nuit les étrons moulés dans l'urine et hop disparue
rangée sous le lit bonsoir on s'en souviendra de ces

années d'apprentissage on s'en souviendra de vos tiens-
toi droit tout ça pour un lavabo oui bon autant que
les lavabos soient propres d'accord mais enfin dire
qu'ils s'étonnent de n'être pas visités des dieux je veux
dire des convaincants pas les farceurs ambigus qu'on
nous sert comme papier hygiénique probable qu'ils
aimaient les odeurs ceux-là o libidinous god sacré
vieux flaireur obsédé des tasses il est vrai que le patron
a toujours aimé les pantalons sales de ses ouvriers
c'est l'entrecuisse à cambouis qui lui fait mimi il s'intéresse aux ouvrières en sueur aux paysannes qui sentent le foin ça lui fourgue de la matière et avec tout ça
bien entendu maniaque de la propreté mais goûtant
l'escapade bon marché néocolonialiste à mort les
réserves d'afrique quel plongeon pour notre greffier
des myriades de pt'its corps tous frais tous bronzés
pour pas un sou des diablotins huilés souples de quoi
farfouiller longtemps dans ces vivantes racines heu-
reuses c'est pas vrai dédé oh oui mon jeannot tu sais
qu'mémé biche bien qu'tu pourlèches les glands à sa
place tu sais qu'elle t'considère comme son délégué tu
sais qu'elle intervient constamment en ta faveur heu-
reusement que le chef de la police lui-même que dis-je
le président de la cour de cassation surtout ne va pas
croire que j'suis contre eh oh dénégation redénégation
non réellement je suis pour que chacun invente sa
mélodie sinon d'accord fascisme social-fascisme on a
compris les colonels grecs ou brejnev mais tu sais
à propos j'ai vu leur grand poète aux russes la moindre
de ses plaquettes se vend à cinq cent mille exemplaires
il est gentil tout rond un marin du potemkine engraissé
foulard de soie blouson dior il vient d'être élu à l'académie des lettres américaines je lui ai demandé si ça
l'gênait pas mais non le danger mondial est chinois
ça me rappelle aussi la responsable qui me demandait

de lui causer de littérature et moi d'articuler sur la politique et elle mais où est la doucha dans tout ça doucha doucha j'en avais froid dans le dos tu parles d'une douche froide oui doucha c'est l'âme la poésie exprime l'âme et moi doucha comprends pas oh divinité ce regard bleu d'acier laminoir le mépris complet en sibérie formaliste moi je crois que formaliste a toujours voulu dire pour eux sexologue c'est pourquoi bien que les formalistes n'aient pas beaucoup d'intérêt et je dirai même soient aussi puritains que les autres n'attaquons pas trop en vérité bien sûr c'est du zizi qu'il s'agit doucha doucha assomption sinistre alors la doucha on veut pas de doucha on n'a pas de doucha donc animal forcené ennemi du peuple ça devait barder chez elle dans la culture j'aurais voulu voir le mari ivan tu manques de doucha ce soir ah la vache quel métier d'avoir à dire des trucs sur le langage surtout que c'est jamais ce qu'ils veulent et qu'en plus c'est jamais ça non plus d'ailleurs il ne s'agit même pas de langage quel métier d'être le soi-disant signifiant flottant ou plutôt la flotte qui se signifie elle-même le signifiant c'est la doucha de chez nous il paraît ouais in principio erat verbum et suppose que tu leur transformes la formule pof la gueule fermée comme un compte en banque sourcilleux sur le verbum sans parler évidemment des positivistes un mot par jour un concept par an les américains c'est un autre genre tu vois d'ici le népal l'irrationnel à gogo y en avait un qui voulait absolument m'embrasser dans l'cou subjectif en diable il voulait des attouchements des fleurs la fraternité immédiate la fusion holà ça va pas non je l'aurais bien accouplé à la soviétique reflet correct de la coexistence pacifique limitation des missiles elle en pantalon lui en sari ils auraient été irrésistibles pas question dans ces conditions d'aborder le vietnam en profondeur ils étaient tous les deux contre la guerre mais plutôt dans le genre fâcheux accident l'avenir est à nous y a aussi l'affaire des territoires occupés des juifs oui bon voilà quelques scènes de ménage tout s'arrange sur l'oreiller commercial rideaux fermés lui criant maman elle papa lui doux crasseux cheveux longs elle précis casse-noisette décapsuleur en racine accord sur l'interstellaire et elle doucha et lui pro- bablement om la syllabe sacrée elle avec son lénine expurgé réduit à l'arête lui avec n'importe quel swami bref deux supergrands le couple finissant du siècle le minnesota et l'ukraine enfin tu verras cela dit toujours à propos d'embrassades qu'est-ce qu'il faut se taper dans la bouche les démaquillants le lait de baleine le fond de teint je parle même pas du rouge à lèvres désormais démodé il devrait y avoir un prix dégus- tateur de faciès je t'assure j'aurais mes chances tu m'aimes oui oui tu en aimes d'autres mais non mais non chacun pour tous dieu pour soi suivez les poin- tillés rayez les mentions inutiles le plus drôle c'est l'échange à vue ton bonhomme me plaît je baise ta bonne femme ta bonne femme me fait mouiller j'te pique ton bonhomme le tout inconscient naturlich faut pas casser la machine ça bande neuf fois sur dix au pouvoir elles calculent tout en millionièmes de seconde eux sont plus timides leur parade à elles est tendue sous roche vers l'enfantement eux voudraient éviter la mort théorème leurs désirs se croisent bonjour au revoir j'en ai connu une persuadée que j'écrivais pour elle elle se voyait dans chaque passage lumineux et plus y en avait de sombres plus elle mettait l'accent sur les lumineux ça devenait hallucinant on se serait cru au cinéma j'avais l'impression d'avoir interpol au cu pour m'obliger à sublimer le moindre détail je crois vraiment qu'elles supportent pas qu'on explique le père noël et qu'eux trouvent intolérable qu'on dise seulement je allons allons poursuivons le nez dans nos électrons quelle odeur d'essence les embouteillages recommencent les déserts d'arabie les raffineries le bédouin fier à cheval près des puits de pétrole les pyramides entourées de barbelés les cars de touristes à l'hôtel hilton et ici le torrent d'voitures je trouve plein de signification tu vois qu'on se batte plus dur chez renault citroën simca fiat qu'on travaille d'abord les ateliers les chaînes personne n'a fait mieux que l'appareil à manger quand tu as le buvard qui vient doucement essuyer la bouche de charlot boulonnant et le rouleau de maïs qui s'emballe pas mal non plus et les gros boutons sur la robe quand il veut les lui visser et qu'elle s'enfuit en gloussant pas mal pas mal la belle époque si on entrait là je prendrais bien un sandwich avec un demi et pour moi ce sera une friture de spermatozoïdes avec deux ovules sur le plat des mouillettes tu vois l'rapport toi moi j'vois pas l'rapport tu comprends en fait l'hilarité est générale mais rien ne permet de l'entendre surtout pas la rigolade le phénomène vient de plus loin c'est comme un sursaut intime de la matière qui rirait terrible tout seul et chez nous le courant passe mâchoire fermée à l'envers sauf quand on se rencontre au trou oméga et là on peut saluer en passant l'événement car c'en est un à peu près du même ordre que merde c'était un rêve pendant des années j'ai été penché sur ce problème comment ramener d'un rêve l'objet désiré n'importe quoi une preuve quoi une pâquerette une raquette de tennis le dessous de la couleur bleue le pire c'est que je l'avais en main juste parfois au bord des paupières ramener la vue consistait à tout reperdre jusqu'au soir suivant vers huit ans dix ans c'est la longue marche il faudra qu'un jour on enregistre l'ensemble minutieusement le vrai roman-fleuve de la naissance à la mort tout le dressage la fameuse épopée de pîpi caca la moiteur du sac de couchage le gong dans l'on dit le cirque légendes les premières révoltes la guérilla la conquête du minimum toujours compromis l'analyse interminable parce qu'une fois que ça t'a marqué dans la cire tu peux passer ta vie à épousseter ton disque en te rassurant pour la forme dans la cueillette de la paille dans l'œil du voisin comme disait le prophète nous leur montrerons partout nos signes à l'horizon jusqu'à ce qu'il leur devienne évident que tout est dieu et youpie bip bip la seule valeur qui n'ait pas moisi est la suivante grouille-toi de faire ce que tu veux et chaque fois qu'on t'en empêche dis merde et va-t'en suis ton désir nom d'un collier d'chien précède-le si tu peux sois sourd à la propagande inverse comme trente-six mille montagnes de toute façon on essayera de te démoraliser c'est leur devoir que veux-tu la sauciété la sécurité or moi je refuse je refuse je refuse non non non je ne mettrai pas ma serviette autour du cou non je ne reprendrai pas de soupe une bouchée pour maman une pour papa qui tu préfères maman ou papa non je n'accepte pas l'identité je me sens beaucoup trop amphibie bombardement protéines nucléotides nuage d'hydrogène initial irisation de l'hélium double hélice mon diamètre est aussi un million de fois plus petit que ce que l'on peut distinguer dans le plus puissant microscope personne ne peut se vanter de m'avoir tenu au bout d'une paire de pincettes ni de m'avoir mis les mains protons et neutrons en l'air mon noyau est pire que sain j'affirme qu'il tourne dans l'inqualifiable qu'il traverse les feuilles d'or vingt centimètres cubes de matière solide contiennent un million de milliards de milliards d'atomes id est le nombre de grains de sable des océans de notre potiche c'est pour ça que l'homme est un loup pour l'homme à savoir pour son propre infini recuit c'est entendu j'avale je digère je jouis je chie mais je n'ai pas dit mon dernier mot sur cette affaire j'ai de la sympathie pour mes bactéries j'ai l'virus de la mise en scène j'aime le sombrero de la voie lactée avec le soleil sur les bords tu te rappelles ce que dit cyrano la terre me fut importune quel type celui-là on comprend que les curés lui aient fait tomber une poutre sur la tête c'est comme le doyen jonathan enfermé entre ses fillettes et remarquant simplement qu'on dessine les éléphants plus petits et les puces plus grandes que nature et la famille elle va bien merci écrire écrire c'est enseigner le matérialisme mais il ne s'agit pas d'écrire la modulation va plus loin elle s'appuie sur tout et sur moins que tout dans le rien et c'est toujours la même chose ils ne soupçonnent pas que cette liberté du mouvement dans le sujet comme ils disent n'est rien d'autre qu'une paraphrase pour la méthode la manière de traiter le sujet étonnant qu'on doive encore et encore en revenir là j'en conclus que l'analyse de la résistance en question serait en gros celle de l'humanité tout entière et au-delà d'elle une gigantesque opération pour ne pas mouvoir le boudoir ce qui nous ramène à l'hypothèse de l'explosion folie dense par rapport à quoi la pensée est un papillon je l'admets d'ailleurs courageux rêvant qu'il est la pensée d'un papillon se demandant s'il a été une pensée de papillon ou un papillon de pensée dans le papillotement général ce qui signifie que toute formulation spontanée non cherchée doit se payer cher et il y a autant de distance entre un petit tourbillon de ce genre décrochant l'espace et son commentaire qu'entre nous et l'amas d'hercule qu'il n'est pas interdit d'observer ou d'écouter en sériant les fréquences on ne sait jamais c'est en 1859 que paraît l'origine des espèces qui faisait rire les journalistes du temps lesquels essayèrent immédiatement de ramener l'épisode à une grosse plaisanterie corps de garde de nouveau le sacristain de service fit son numéro le docteur de la loi idem et idem le spécialiste des écritures où est le maillon manquant vous transformez une huître en orang-outang un têtard en philosophe l'évêque demanda si c'était par sa grand-mère ou par son grand-père qu'il prétendait descendre d'un singe la science est pleine de ces moments consternants ou joyeux ça dépend de l'humeur du vagabond répétition qui donne raison de dire que la vérité est la lumière sur le visage grotesque qui recule rien d'autre cependant le savant devient triste s'il est contredit il peut même mourir dingue ou désespéré surtout avec la gueule que lui fait sa femme il faudrait parler des migraines de jenny marx de son refus de recevoir engels à la maison les découvertes ont lieu sous le vaudeville ce qui n'empêche pas les sciences naturelles d'avoir bousculé l'édifice par tous les bords la bénédiction du pape s'adresse désormais à un fleuve de lave à un haut-fourneau sans parois le pauvre guignol se rabat sur les cartes postales la publicité clandestine pour les lunettes cerclées nouveau clin d'œil de l'agneau pascal le silence de ces espaces infinis m'effraie eh bien ça te fr'a passer le hoquet au concile moi j'aime assez quand on le voit porter une fois par an sa croix en polyester quand il lave les pieds de quatre ou cinq diacres soigneusement baignés à l'avance paraît qu'on leur met de l'eau de cologne chartreuse sur les jambes pour que l'pape la sente malgré son rhume brave popol il a compris que c'était la lutte à mort entre blé hostie et riz en pilules pas besoin d'insister passons la nature est pour moi un lac rempli de poissons et moi poisson poisson poisson sans complexes les dauphins suivent dans la mer leurs canaux d'information c'est leur tradition orale ima-

gine un peu qu'ils lisent comme ça en nageant l'iliade
l'odyssée l'énéide l'océan bourré d'aventures quand
l'étoile vieillit elle devient une grosse boule rouge cent
fois plus grande qu'au début le soleil en sera là dans
cinq milliards d'années combien cinq milliards ah bon
tu m'as fait peur j'avais compris un milliard il sera tout
boursouflé vu de la terre ce globe de feu emplira le ciel
la température dans la salle de séjour atteindra alors
deux mille degrés causant l'évaporation de toute matière
peut-être jupiter nous servira-t-il à ce moment de rési-
dence secondaire mais il est plus probable qu'on aura
déménagé depuis longtemps en emportant les cassettes
et les microfilms sans parler des éprouvettes sperme
glacé ultra dry on the rocks please dira l'aimable
matrice allumant distraitement la visionneuse $e = mc^2$
où la rubrique poétique continue d'être aussi mauvaise
c'est quand même stupéfiant aucun progrès dans ce
domaine depuis le temps c'est pourquoi j'ai tendance
je l'avoue à voir le moindre geste inscrit effacé comme
là et pas là détruit conservé brûlé déposé au fond de
ses particules alpha dispersées gratuites et pareil pour
les hirondelles les murs frappés de lumière une rose
dans l'atmosphère ah la volonté du carbone son sens
de la durée des grains de papier tu trouves que je vais
trop vite tu trouves que ça trépide que ça risque de
faire hystérique mais non tout le monde a compris
qu'il s'agissait d'un rythme paisible ouvert bienveillant
vrai sens du spasme à torrent ici je mime le minimum
de musique pour fouetter le quai l'obliger à décoller il
ne demande pas mieux lui il n'a rien à perdre que ses
chaînes appelle-moi animus je t'appellerai anima je
suis ton corpus tu es ma chôra dans ces conditions
je suis un huit transitoire mon lobe droit en veut à mon
gauche et je sais pourquoi toute la difficulté vient de
cette fusion qui s'éprouve épousement de ventraille

allez une gorgée de bell's old scotch whisky d'arthur
bell and sons ltd distillers perth scotland established
1825 choose wisely afore ye go bell's is distinguishable
by its mellowness acquired through many years of
ageing in oak casks et hop nous revoilà dans l'échelle
je dis qu'on n'a pas assez tenu compte du son courant
dans la langue mais c'est plutôt le contraire c'est le dessous de langue qui vient se retourner au point d'ébullition de cuisson reste plus qu'à laisser filer à projeter
sur l'écran derrière en décadrant en faisant du déca-
drage un cadran écoute la perruche là-bas dans la cage
c'est elle qui a la clé de notre étendue écoute comme
elle siffle tordue le trou n'est pas simple c'est un truc
comme ça que je cherche depuis toujours si loin que je
me souvienne l'hallucination était là vivante patiente
son relief en plus écoute j'ai pas inventé l'horloge du
langage la question est de savoir qui est le maître et
c'est tout dur à avaler hein et pourtant tu peux trans-
crire librement la formulation de mao d'où viennent
les enfants sont-ils apportés par les cigognes non au
fond c'est la première fois qu'on annonce sans fard la
nouvelle aux masses dans une société de classes il n'y
a que des amours de classes curieux comme ils confon-
dent politique et sexualité là est le symptôme des
anciens âges la suie de la cheminée j'ajoute qu'il faut
faire semblant de donner à la bête ses satisfactions et
savoir déraper au dernier moment comme ça elle en
dit plus eh eh baisée ma vieille tu m'as assez fait chier
chacun son tour je suis le type bandant dans le sarco-
phage dessin rapide noir sur fond huileux blanc j'ai
rarement vu le secret avoué plus vite y a intérêt à se
promener dans la forêt papyrus ça c'était de l'action
painting magie efficace quelles couleurs bleus rouges
verts jaunes un noir luxueux corbeau immortel quels
arbres quels roseaux tubés je comprends maintenant

pourquoi l'œil ouvert de travers le papier voyait prunelle tirée voyait quoi rien voyait quoi rien rien du papier couleur en prunelle isiris fibreux osé en prunelle les voilà maintenant déroulés à plat dans les salles du british impérialiste plus ils meurent plus ils exposent les tombeaux des autres mais qui est plus vivant avec le soleil passant par les vitres venant creuser les reliefs les incisions de voyelles les vases siffleurs le retournement d'agonie renflé colonné le plasma des stèles les calendriers qui a le meilleur souffle monsieur et madame smith dupont ou la poche verdie des momies cerveau mouché par le front troué sous leur voûte bleu nil soufflée de l'intérieur par l'écho nihil fermez les yeux deux secondes dites si vous sentez le bois s'allumer en flèche dites si vous saisissez l'escalade l'essaim des étapes avec bond d'ellipse pour les bons barreurs tout se passe comme si l'épisode de la croix avait signifié fermé pour cause de réparations travaux changement de propriétaire et puis on a oublié la réouverture comme si le nouveau sujet n'était pas d'abord le ressuscité c'est-à-dire celui qui se fout carrément de tout dans les siècles des siècles sortant de la fosse commune avec son petit drapeau rouge et or voilà pourquoi le christianisme est un contresens tragique ou comique ça dépend de l'humeur du mourant du coin enfin détour après détour qui peut affirmer le progrès dans la peinture passe encore pour les pièces enterrées les banquets ou les salles de bains passe encore pour le clapotis sexuel reprenant ses droits après le déluge avec sa colombe oh lente lente rapide mais lente si lente rapide et lente lumière nous sommes en 2400 ou 2200 before je tenais tout juste dans la niche principale elle avait l'air faite pour moi je m'payais un drôle de frisson mi-superstition mi-sincère le décor me paraissait soudain tourner au vomi sale et dégueulasse et superbe vomi repeint par l'estomac ouvert de la durée dans son ombre car il y a aussi le vomi rentré reversé que personne ne verra jamais le mâchonnement goutte à goutte viscère à viscère grain de foie par grain de foie de toutes les marionnettes cassées sans parler de l'ouvrier façonnant les fétiches destinés à fabriquer du mystère avec sa sueur au fond le maître savait pas grand-chose il y croyait peut-être le con mais qui nous révélera les méditations courtes et d'ailleurs techniques de ceux qui passionnaient le terrain sans pouvoir mais scandant le pouvoir des puissants des prêtres aujourd'hui pour quelques bonnes femmes le curé parle dans son micro nasillard sous la coupole dorée de saint-marc j'aime revoir les paons du dallage l'encensoir tombant du plafond byzance byzance l'albâtre de galla placidia on dit que dante prit froid en revenant d'une enquête sur l'irrigation doublée d'une mission politique pour beaucoup de passants il était déjà le revenu celui qui avait vu et connu les mères le montraient aux enfants comme un épouvantail toujours cette manie de ne parler que d'enfer de s'exciter sous refoulement en douce sacré dante librum gustavit populis ventura notavit quel sens des ensembles dans les parties par ensemble trois trois trois et de trois en trois premier attelage ailé long parcours pour soliste chœur et virages j'irais bien en réciter un peu en vaporetto sur la giudecca ou dans l'herbe du forum sous les super marchés de la pute romaine on raconte aussi qu'héraclite avait déposé son bouquin dans le temple d'artémis légende puisque seul le feu logique chiffre de la négation ne laisse pas de reste seul sans apparaître il meut l'absence dans la variété donc l'intelligence saisit les intentions croisées en fixant chaque chose dans sa négation ad hoc donc la particularité surgit d'un anéantissement plus vrai que celui dont la fumée est le signe donc chagrin d'amour ne dure qu'un moment plaisir d'amour dure toute la vie les âmes en s'évaporant ne cessent de devenir intelligentes l'homme touche la lumière dans la nuit quand il est mort pour lui la vue est éteinte vivant il touche au mort quand il dort la vue est éteinte mais il touche au dormeur quand il veille le lien à retourner est comme celui de la fusée et de la machine à écrire mais ils ne comprennent pas comment il dit en accord ce qui dixit professor de soi diffère merde comment ça s'fait qu'ils aient tous ce style marquise vos yeux d'amour c'est simple ils n'ont pas intériorisé en eux le petit nègre d'où les manières une sorte de racisme latent ils se croient députés du miracle grec et moi je dis que le lien qu'on voit sans le voir est plus fort que celui qu'on ne saurait voir mais qui du fait qu'on ne le voit pas amène à croire qu'il y a un lien qu'on ne voit pas c'est même pourquoi chacun est deux pour dormir un qui coule à pic t'as vu ce sourire l'autre avec son revolver ou son talkie-walkie sous l'oreille immortels mortels vivant la vie des autres morts de la vie des autres nous nous soulevons pour être les gardiens des vivants de l'éveil des morts oui c'est dans ce but que je t'ai emmené dans cette promenade tu regrettes mais non un pari est un pari voyons alors on appelle ça le pari by night d'accord mais pourquoi dit-il que le plus beau des singes est laid pourquoi ne pas avoir dit que le plus laid des singes était beau ou encore mieux que le plus singe des singes ne saurait être ni beau ni laid objection reçue pourquoi dit-il se transformant il se repose et pas immédiatement se reposant il se transforme voilà tu tiens la méthode c'est le même qui est là vivant et mort vivant mourant la veille et le sommeil étant jeunes et vieux car ceux-là sont ceux-ci en se renversant et ceux-ci ceux-là voilà voilà la sibylle à la bouche égarée parle en grimaçant franchit mille ans avec sa voix écoute la bouche de l'hystérique est notre radar tu peux y observer les moindres variations de température la moue l'annonce du repas sanglant elle les impressionnait les anciens forcément tu enchaînes aussitôt sur le complice maître à qui appartient l'oracle ne dit pas ne cache pas il indique et de cette manière garde son emploi ce qui est plus malin que de dire carrément et de cacher carrément sans rien indiquer attitude que les contemporains apprécient rarement et que le futur refoule bon ces vieux machins sont un peu surfaits hein et les commentaires ont beau se tordre dans tous les sens on dirait qu'ils ramènent les atomes at home ça sent le coin du feu la pantoufle l'édition rare le catalogue érudit j'ai rien contre mais la réciproque est pas vraie dire que même staline citait héraclite à travers lénine bien sûr lui-même à travers lassalle die philosophie herakleitos des dunklen von ephesos berlin 1858 lui-même à travers hegel encore lui décidément on n'en sort pas parce qu'on n'y est pas rentré suffisamment c'te blague on visite pas ça en courant et à part oulianov dans sa petite bibliothèque suisse en pleine première guerre mondiale on peut pas dire que personne se soit beaucoup fatigué imagine le moment où il écrit à bas le ciel dans la marge entends son rire ha ha lorsqu'il est question du bon dieu regarde-le dégager l'automouvement résoudre la question du sujet placé au-dehors au-dessus moment vif solitude complète attente des masses et au fond plus c'est vaste accéléré grandeur nature plus c'est tassé court l'histoire à croire que ça finira par être à la fois l'infini et un milliardième de grain de riz de moutarde les chinois ont des titres au poil la forêt des pinceaux le livre de la cour jaune le filet de perles de jade rouge des trois profondeurs printemps et automnes il paraît que houei che s'appuyait sur une petite table de platane avant de débiter son discours la couleur n'est pas la forme la forme n'est pas la couleur en parlant de la couleur il ne faut pas y joindre la forme en parlant de la forme il ne faut pas y joindre la couleur il n'est pas permis d'appeler le lié par le non-lié le blanc qui est déjà destiné à quelque chose n'est plus le blanc et autres propositions toutes plus évidentes les unes que les autres ce qui est miraculeux c'est plus précisément ce qui n'est pas miraculeux lourdes n'est pas une ville chinoise l'adoration de la béquille ne fait pas partie de leur menu quotidien alors que nous quand reviendra-t-il le temps des cerises qu'est-ce qu'on doit s'taper dans la cave le vin est tiré il faut le boire comme opérations en tout genre charcuterie gratuite anus échauffé honteux arrachage de dents of le caniveau rougi les canines sous le traversin maman maman appelle-moi ton rôti de porc mais oui tu es mon rôti de porc bref on essaye d'avancer là-dedans comme la foudre en pilotant des deux mains en gardant le cerf-volant corde souple je suis l'adn je suis l'arn de transfert je me vise ma cible me vise je cible ma vise curieux comme l'animal peut bander en rêve pendant qu'il est en train de se découper comme il s'éprouve en même temps unité gazeuse comprimée rangée en tiroir de cette contradiction en apparence insoluble il se réveille sa cervelle grommelle les faits sont têtus il est de notoriété publique que l'insémination artificielle est aujourd'hui une pratique courante chez les bovins le sperme du taureau est conservé à une très faible température pendant plusieurs années et n'est souvent employé qu'après sa mort or pourquoi ne pas constituer des banques de sperme humain à l'image des banques taurines ce pas a été franchi par la cow corporation après un droit d'entrée de 80 dollars environ 400 francs il suffit de payer 18 dollars par an soit 90 francs pour que la société conserve à la température de l'azote liquide trois éprouvettes contenant la semence un enfant est né récemment avec du sperme conservé pendant dix ans l'urgence d'une législation se fait sentir des femmes peuvent en effet être tentées d'aller chercher au comptoir le foutre d'hommes éminents ce serait une nouvelle forme d'eugénisme dans d'autres cas une fécondation pourrait être orientée et même imposée par des dirigeants politiques sur le plan scientifique des croisements consanguins deviendraient alors probables c'est pourquoi on est d'ores et déjà amené à enregistrer le pedigree des vaches sur ordinateur le nouveau ménage chrétien incarne en quelque sorte la sainte trinité ou encore la vérité plus géométrique du triangle nous gardons l'œil sur ce symbole éternel car enfin voulez-vous me démontrer le contraire si les triangles avaient un dieu n'auraient-ils pas trois côtés étrange aussi que dans le regressus infinitum de la poule et l'œuf on oublie toujours le moment du coq la signification intrinsèque du cocorico l'oiseau sort toutes ses plumes variées pour l'accouplement et après shlick nid gris en couveuse eh bien on pourrait penser que ça leur paraît fastidieux depuis le temps pas du tout accrochés au radeau comme des méduses des mouches dans le miel des guêpes extasiées même une pompe à incendie ne pourrait pas les séparer ils s'en remettent au hasard ou plutôt la seule solution est de rendre solennellement à la femelle son droit antique l'arme absolue quand elle veut elle n'aura pas besoin de prévenir elle pourra choisir l'effusion dans la diagonale serrée des partouzes en conséquence je propose de prévoir dès maintenant une région centrale de reproduction avec constitution jusqu'à l'os des intérêts féminins découverts assemblées internationales de pères baratins bourse des noms

propres vente achat indexation de la commission
des finances et simultanément l'aménagement des
zones périphériques mouvantes avec normalisation
des diverses pratiques homosexuelles gouines rouges
front d'action révolutionnaire où pourra s'établir un
ministère de la culture compétent le pédé la gousse
maintiennent en effet une vision à la fois plus animale
fiévreuse nécessairement jalouse mais tendue plus
éthérée de l'humanité les corps seront déclarés flottants leurs passions seront rationnées poinçonnées
par le sgic sodome gomorrhe international council ils
pourront passer d'une région à l'autre sur simple pré-
sentation de leur carte de différence on pourrait dès
maintenant aménager les réservoirs souterrains par
exemple sous la place de la concorde avec en haut le
choc décapitation du pépère retour de la vallée des
rois rappel de l'aspect éphémère des phénomènes
avertissement qu'on doit aussi penser l'ellipse à l'envers c'est en 1775 que goethe écrit à herder l'art de
faire de la poussière de l'histoire une plante vivante
formule qui doit être rapprochée de son contraire et
aussi de cette capacité qu'a parfois un sujet obstiné
mais fluide d'enlever voile sur voile de détacher les
nœuds d'appuyer sa négation jusqu'à ce que l'infini
sous sa forme toujours inattendue commence à sourdre
dans ses parages inside and outside après quoi il
regarde ajax tornade blanche obao fraîcheur sèche
akiléine dentifrice du pied comme s'il s'agissait de
messages ayant leur part de chiffré le voilà qui reprend
la mer le train je voyage toujours dit-il en wagon pull
woman je suis le vrai porc épique je pêche le dactylop-
tena orientalis poisson volant ou le betta splendens
poisson combattant ou le chaetodon auriga l'holocan-
thus diacanthus poisson ange voire le symphysodon
discus poisson disque ou encore le pteropterus dragon

attention aux retombées des révolutions l'humanité est très poreuse à son passé bicéphale le fait d'avoir décrété le culte de la déesse raison m'a toujours paru être un argument négatif contre robespierre y a encore d'la maman là-dedans ça sent le fils soumis bon élève encore que la cantatrice sur l'autel fallait oser de ce point de vue on n'a pas tellement avancé regarde cette masse noire regarde ce grand cercueil draperie ah le moulin d'mémé près du fleuve les gargouilles l'alchimie des façades le fantôme de quasimodo le chapitre des misérables sur l'argot est un des plus étonnants de la langue française parcours impeccable génie humanisme taratatatataratatarata debout à son pupitre les élections le baisage par-ci par-là et le soir les tables tournantes quel jeu je m'étais endormi le soir près de la grève un vent frais m'éveilla je sortis de mon rêve je m'éveillai je vis l'étoile du matin elle resplendissait au fond du ciel lointain et dieu satan la comédie en stuc le message la barbe sur les billets de cinq francs puis nocturne je vois un soleil noir d'où rayonne la nuit un peu trop préparé peut-être fluctuat nec mergitur c'est normal que les profs soient intrigués par le langage et pas nous c'est logique que les physiciens soient snobés par la matière et nous plutôt par le mouvement la matière veut du mouvement le mouvement veut du langage le langage nous veut dans ses creux lève la tête la lune est désormais un dépotoir de banlieue elle était au fond le frigo de notre planète elle a tout conservé depuis le début pense aux quatre-vingt-douze éléments songe que le dinosaure s'est éteint il y a soixante-dix millions d'années pour des raisons encore ignorées incline-toi devant la giclée en brouillard nacré d'andromède réfléchis au fait que des astronomes chinois détectèrent en 1054 l'une des premières supernovae connues la nébuleuse du crabe occupe maintenant l'endroit où elle se trouvait on peut dire sans exagérer qu'elle s'éloigne de nous à la vitesse de mille cinq cents kilomètres à la seconde bon ça c'est le décor tournant j'estime qu'il influe sur le comportement inconscient des acteurs oui je suis du sagittaire comme beethoven mais la question n'est pas là oui oui ascendant verseau bien sûr l'avenir quoi le nouveau pulsar né à midi comme de juste avec le temps il n'est pas impossible que je devienne une rotative huilée sans mobile publiant deux ou trois fois par jour les nouvelles de l'éter-nel non-retour qui sommes-nous d'où venons-nous où allons-nous c'est le moment de décider de se prendre un peu soi-même à la gorge allez dis-moi dis-moi tout suis-je le rêve de l'inconnu ou plutôt son lapsus corpo-ris doloris linguae vous qui êtes entrés ici je com-prends que l'espérance vous manque mais ne croyez pas que je m'en tire mieux quant au macadam je fais seulement l'effort de sentir sous le goudron le noyau nickel fer en fusion l'esprit souffle-t-il où il veut veut-il chacun de ses souffles pourquoi la lettre a-t-elle pris l'habitude de tuer sans nous dire un mot autant de dis-sertations sur la cause interne qui compte peut-être pour du beurre mais qui saura l'affirmer sans trembler s'enrhumer quelle est la cathédrale déjà où se célèbre le miracle de saint janvier le sang qui devient liquide ouf soupir de soulagement des foules c'est donc que le tabernacle n'est pas enceint supposons que dieu se retire à la même vitesse que quelque chose lui ait pas plu dans le spectacle de sa propre répétition voilà toutes les syllabes bourdonnant sur le bout des lèvres et le doigt qui s'pointe hors du cosmos et l'chuchote-ment de l'imprécation allez voir ailleurs si j'y suis et tout s'élargit et fuit allez allez loin de moi race maudite de particules ou alors c'est le tourbillon gratuit insensé pour prouver sans rien les dés la roulette nul hasard nulle nécessité dormons oh dormons plutôt un sommeil bien ivre sur la grève j'ai passé des mois à me saouler à vouloir crever dans les trous salés le varech dans le nez et dans les oreilles le splash remuant de l'eau mon hypothèse est donc la suivante puits de jouissance ronflante captée au dix millième pensée au dix milliardième repoussée en conscience avec la force d'un marteau-pilon et à partir de là variation évolution générée gueule de l'adjudant-chef sourire béat démultiplié pour les astres deux et deux font quatre rideau général le plus surprenant c'est monsieur l'savant rentrant de l'observatoire embrassant sa petite famille contemplant attendri sa fille jouer du violon le biologiste a une belle gueule sévère qui perpétue celle de sa grand-mère protestante le physicien baptiste le mathématicien syncrétiste faut c'qu'il faut pour continuer les calculs oui oui cher ami galilée sans doute mais enfin aristarque l'avait déjà deviné et de là copernic kepler newton même leibniz était hanté par la transmutation générale chéri nous pourrions peut-être passer au salon tu nous réciteras bien un poème j'ai longtemps habité sous de vastes portiques où des esclaves nus tout imprégnés d'odeurs tu sais celui qui est analysé dans le dernier numéro de sons et rythmes il a une structure croisée intéressante on dirait une étoile de mer quoi qu'il en soit la pratique graphique des hommes détermine leur pensée ce qui s'explique aisément si l'on tient compte de la réceptivité du tissu de ce qu'il renvoie en brûlant ses mailles un point à l'endroit deux points à l'envers un saut en avant deux en arrière ça roule ça roule mais on peut s'y coudre et découdre à vif la seule chose qui leur viendrait pas à l'idée c'est comment leur vie prend son sens dans la pratique sociale ils n'arrivent pas à comprendre la constitution inévitable de ce relais ils saisissent pas l'objectivité de la lutte des classes donc pas d'analyse nature d'un côté idéal de l'autre ils croient être les gardiens du temple les dépositaires de la plus-value anti-barbarie impossible pour eux d'imaginer leur côté brindilles au niveau des masses tout au plus veulent-ils être la cellule veilleuse à cœur d'électron c'est plus noble l'étincelle intelligible noyée résistante en plein fruit fureur eh bien non l'histoire n'est pas racontée par un épileptique non les superpuissances ne vont pas fonder le saint empire non non nous ne sommes pas aux limites de la connaissance et parfaitement la bombe est un tigre de papier pas plus impressionnante pour une autre conception du monde qu'une infusoire de même que le plus profond tabou intangible de leur société la preuve il suffit d'ouvrir la fenêtre c'est comme ça que nous aimons travailler en plein air en changeant d'motif en la variación está el gusto ah je vois un cas de don juanisme si vous voulez viva le femine viva il buon vino et en tout cas no vecchio infatuato attendez un peu le tiers-monde l'effritement de votre grenier mais ça s'ra pareil la loi du maître et de l'esclave attendez attendez qu'on creuse le corpusculaire là encore y aura des surprises qui n'est pas inquiet n'est pas né il viendra le nouveau sujet c'est du messianisme mais non simplement on avance en désordre sur tous les fronts mille feuilles bref le nouveau est le nouveau l'ancien n'y peut rien hou hou le mort saisit le vif le commendatore veille bon nous récrirons ce finale où il sera démontré que l'apparition se dissout à la lumière du père freud revitalisé et vitaminé mes enfants nous dira-t-il ému je n'osais plus l'espérer tout ça avait fini par me paraître bien sombre avec ma femme ma fille les soucis de l'association tu es libre papa lui répondrons-nous généreusement l'histoire des religions avance scellons notre pacte dans ce breuvage et on lui offre une gorgée de soma qui lui guérit sa rage de dents culpabilité macérée le dernier tableau le montre entrant dans la danse une valse viennoise if the music be the food of love play on o let me teach you how to knit again this scattered corn into one mutual sheaf these broken limbs again into one body eros crie-t-il le grand rassembleur et nous en chœur come thick night come you spirits that tend on mortal thoughts unsex me here and fill me from the crown to the toe top full of direst cruelty et autres adaptations de shakespeare son auteur préféré oh athéniens que faire pour mériter vos louanges coupe-toi la queue mordicus il est difficile de tirer flèche après flèche sur un trou de serrure étroit situé à longue distance et de ne pas le manquer une fois il est plus difficile encore de tirer et de transpercer avec la pointe d'un cheveu cent fois fendu un fragment de cheveu semblablement fendu il est bien plus difficile encore de pénétrer le fait que tout ce qui existe est mauvais cette idée autrefois m'aurait paru obscure pessimiste exagérée je n'aurais jamais cru qu'elle était comme toi si lucide non pas lucide allant de soi non pas allant de soi mais nettement sans bords déchirée le problème en définitive est d'oser l'autre par tous les côtés de se saborder au cœur même déphasé de l'autre my heart mein hertz mi corazón il mio cuore sacré cour couronné de pines montrant son bifteck tout cru dans les missels infarctus battant pour les vieilles filles défaillance parmi les cierges ou sur le divan l'embryon entend comme sous l'eau le tambour brouillé de sa mère ça lui ronge plus tard le tympan otites sur otites et mastoïdites l'archipel cartilages les compresses les chevaux du mur on s'est vachement battu dans la sinusite je pourrais renommer l'éventail d'odeurs ça m'a donné le sens de la perforation de l'os en musique tout le monde n'a pas la tête ouverte c'est dommage pour la compréhension immédiate longue distance sur parcours réduit nous avons inventé la circoncision du ventricule la plus importante le prépuce au carré la greffe sous tente aérée ici personne n'entre sans montrer ses certificats médicaux son attestation d'entraînement dans la guérilla circulatoire je montais sur le petit toit la nuit tombée pour la voir se déshabiller zinc mouillé quand elle enlevait sa robe oui l'utopie est derrière nous éclatante réalisée vous n'allez tout de même pas nous prêcher le phallustère l'ashram la pension la communauté villageoise vous n'allez tout de même pas nous proposer de mettre de l'hydromel dans le négatif vous n'êtes plus assez frais pour ça camarades vous refusez de vous voir vieillir l'utopie est une parabole fatiguée laissez le sujet faire son expérience ne lui cachez pas l'interdit nous il nous faut le four noir la sortie en force l'arrachage du sparadrap pas le banquet menstruel avec réintronisation de mémé oui fourier si vous voulez mais quand même avouez que ça sent le caleçon long la bacchanale à la naphtaline vous dites le désir et vous bromurez le café vous réinstallez la couveuse vous n'acceptez pas l'aspect vicieux du bébé or tout le monde sait que les enfants manquent forcément d'humour chers petits ils ont autre chose à faire qu'à servir de miroir pour votre pèlerinage nous sommes dans une époque où sous nos climats le lien se relâche et y en a qui marchent qui croient à la cité future ruse du ténébreux du multiple vous n'arriverez pas à expurger la version littérale de notre journal la jouissance a d'autres projets des horreurs n'empêche que vous êtes sympathiques vous ne serez pas mangés je vous le promets vous avez le droit de ronronner tranquilles de vous montrer nus à vos rejetons si ça vous donne bonne conscience comme si on pouvait décréter l'âge d'or dans les pavillons de banlieue au

fond il vous manque un peu de bouddhisme c'est ça
notre polémique hein notre désaccord porte essentiellement sur le sein ah y a là une foutue grimace initiale
et finale ça fait une plombe que j'm'étais aperçu que
vous étiez tous collés à l'oral que j'me trouvais neuf
fois sur dix transformé en maman réserve oh mes glou-
tons oh mes goulus c'est qu'vous n'en laisseriez pas
une miette de l'alter gigot hein mes ventouses j'vous
parle pas au nom de l'anal phallique qui vous fait chier
comme moi ni au nom du père du fils ou du monoprix
ni au nom du génital barboteuse non mais du génie
étale la nouveauté de demain l'anti-surhomme le non-
dieu non-homme le non-unique le débordement des
dortoirs car enfin je vous le demande que devient la
mort dans votre local s'agit-il d'une limite d'un malentendu d'une faute de goût d'un pet d'une erreur de
calcul d'un grain de poussière ou admettez-vous avec
moi qu'elle est l'œuvre unique l'opération de la liberté
universelle sans aucun volume ni plein de substance
intime puisque ce qui est né est encore et toujours le
point sans contenu la tête d'épingle du soi absolument
libre qui ainsi communique avec le tout bref touche
ses revenus en perdant la vue tu comprends vise les
remous sous les tabliers du pont bois des yeux l'eau
noire tiens on dirait que l'universel est une grande
chambre inhabitée tout à coup il faut avoir été cloué
comme moi par terre sous la volonté qui n'a pas de
contraire sous la presse en fonte de la durée le hasard
minute bredouille de ta naissance te saute à la gueule
tu entends souffler les droits de ce qui était là avant toi
je passe par toi je passe pas par toi c'est toi qui choisis
mon amibe l'injonction ne plaisante pas j'sais pas si
j'pourrais fixer la gorgone dans un de ses rêves elle
voulait me dire quelque chose à propos de l'azote et
moi tu me l'as déjà dit alors tu veux pas savoir et moi

tu m'l'as déjà raconté et elle bon alors j'te dirai pas et moi si alors vas-y et elle par exemple on passe devant un carnaval multicolore mais vraiment plusieurs hein la palette vitrail mettons un arlequin eh bien ce que j'trouve curieux c'est qu'tu m'dises chaque fois t'as vu le bel arlequin jaune sa critique évidemment avait une portée générale elle avait une passion pour les caniches prétendant qu'ils la reconnaissaient à trente mètres elle guettait le moment de leur mise en boule elle insistait beaucoup sur le fait que pour recouvrir leur caca pipi ils avaient un geste ancestral pff pff des deux pattes arrière ça m'fait penser au festival pour la reine d'angleterre les ch'vaux présentés de dos et la croupade en gros plan de télé visage rose de sa majesté tout contre les fesses moulées bien crottines des cuirassés de la garde il paraît aussi qu'ils enterrent leurs os qu'ils vont les ronger à nouveau de temps en temps ils veulent que sous les mythes il y ait un fémur un tibia irréductible id est tous leurs discours sont comme des petites croix sur un cimetière des sonneries aux morts ce qui les effraye n'est pas du tout l'obscénité le tordu comme tel mais l'explication au vif de la tranche le profil de l'équation en train de sauter qui a dit la loi est pornographique elle voit ça partout la pornographie le lui rend bien en la suivant comme son ombre il suffit de voguer vers la libération pour être accusé de débauche avoir tous les animaux au cu venant vérifier l'appareil les cons ils comprennent vraiment rien à rien j'vois pas l'dieu qui se s'rait pas lassé de leur bornitude autant disposer les cadavres en fœtus et n'en parlons plus l'incinération oui peut-être mais les parsis ont raison ça salit le feu où en étions-nous ah oui le samsara le coup des morts renaissances pas du tout allégorique ça n'a encore rien à voir avec les chenilles et les papillons simplement l'accent sur la roue le vieux phono à ressort his master's voice le baveux de l'omelette à travers le temps y a un passage du purgatoire où les voyageurs entendent parfois un cri dans la montagne c'en est un qui décolle qui met les bouts les vacances quoi la sirène de six heures du soir dire qu'il a fallu ces batailles pour obtenir les congés payés la sécurité sociale j'ai vu un graffiti l'autre jour c'était pas grosse bite cherche petit cu bronzé bien maniable mais salaire minimum garanti c'est toute une époque qui s'en va pas si vite tu connais pas les inscriptions de la bibliothèque nationale côté femmes des récits des détails des appels tremblés j'en connais déjà trois ou quatre qui n'ont pas pu résister qui se sont achevées sur place qui y pensent encore de temps en temps sur leurs fauteuils à quand l'éditeur publiant un guide j'ai un titre le cabinet des estampes à quand les cars aux meilleurs endroits remarque bien ce que dit apollon pour dégager le bateau à l'air libre il affirme ce n'est pas la mère qui enfante cas typique de transition historique dans la pièce elles en reviennent pas les enfants infécondes de la féconde nuit elles manifestent elles font un boucan du diable quelle douceur de l'air tout de même comme c'est clair laiteux argenté on se croirait dans une comédie à l'ancienne montre-moi tes mains tout est là tu vois dans la division manuel intellectuel la langue est-elle un système d'objets abstraits analogue à une symphonie la parole consiste-t-elle à l'exécuter mais là encore les symphonies tombent-elles du ciel non un langage est-il un ensemble fini ou infini des phrases elles-mêmes séquences d'atomes discrets nesting ou self embedding un élément non nul à sa gauche un autre à sa droite la limitation du degré d'emboîtement vient seulement du fait que la mémoire est finie n'est-il pas idiot de dire que les transformations ne modifient pas le sens alors qu'il y a au moins cinq sens par faux sens continue avoue que tu es pensée souffrant qu'on te pense le tombeau tu l'emportes partout avec toi vaf le vent du dehors la ronde les parcelles la membrane extérieure de l'encéphale appelée meninx faut croire qu'une petite partie simplement s'est gonflée du corps qui ne s'est pas gonflé en entier l'oubli a son embryon vigoureux entrant lui aussi sous limite on nomme apocastase le retour d'un astre et son passage au point diamétralement opposé et voilà ce que sont les passions rotations et disparitions donc le monde est omniforme omnivore omnivalent omnirien fais-toi grandir jusqu'à correspondre à la grandeur sans mesure monte descends plus haut plus bas est-il vrai que quelque part la raison reste enroulée sur elle-même que les unités engendrent le nombre l'augmentent le reçoivent en elles-mêmes quand il se dissout alors que la matière reste sous la table la gamme le clavier clac l'étendue du support la narration du tracé les pores fentes clapets percussion des consonnes glissement modulé encore ce merle dans les peupliers quel bec quelle folie on dit que l'air sec contracte moins fortement les parties lignifiées des membranes que celles demeurées à l'état cellulose les valves les dents les œillets les trous du pavot cicatrices refoulement obligé il faut distinguer les graines grande distance l'impatiens noli tangere l'aura crepitans des aigrettes oiseaux migrateurs on dit que la résistance du pouvoir germinatif à une immersion prolongée dans l'eau même l'eau de mer explique le rôle des rivières des courants marins dans la dissémination des espèces mais on dit aussi que la révolution produisit un disséminement général des ouvriers simultanément la parole est une phase récessive du cycle respiratoire j'ai passé des heures à observer les chanteuses leurs gorges leurs torsions de bouche à la jumelle leurs reprises de souffle le reste me gênait plutôt quand l'une d'elles m'a embrassé j'ai eu l'impression de démarrer ça me décrochait de partout personne ne patine comme une mezzo soprano sans reprendre haleine il y eut une époque où je ne voulais que des pianistes pour me faire toucher ça m'en rappelle une cheveu vibrant sur les lèvres différence électrique sur le bout livré le franchissement des lignes ne va pas sans secousses surtout avec l'entourage qui au fond n'y a jamais cru représentant la surveillance policière minimale appliquée par fractions au territoire mais je dois avouer que leur haine m'a aidé ils ont toujours senti sur moi quelque chose en avant de moi une zone trouble où leur truc devait s'effriter devenir minable je leur dois l'éveil la poursuite sans quoi je continuerais à faire des bâtons à inventer des feuilletons anormale cette haine quand j'y réfléchis étrange aversion étrange désir si tout se joue bien avant ailleurs sur une autre scène alors j'ai un drôle de machin à faire sortir pas de doute c'est plein d'indications en chemin ils surveillent d'où je viens jamais où je vais comique comique ils passent leur temps à ne pas revenir d'où je viens or l'éloignement progressif d'une spirale dépend du nombre de centres qui ont servi à la former le mot vient de speira enroulement mais on peut aussi penser à spirare respirer en ajoutant également que le rêve s'oppose aux désirs de décharges par mutations successives ainsi l'autre nuit l'eau mouillée d'or mouvante vagues sur place plis préhistoriques liquéfié par l'entrée en lui d'un avant-corps détruit l'œuf la montagne le sommet en vue les files d'autos c'est-à-dire moi parallèle ou encore moment des yeux animaux à rayon filet perdu oublié hors volume particule disant son point flux comprimé excédent infime en résumé c'est chaque fois passionnant il n'y a que les autres qui vous fatiguent comment pourrait-on s'ennuyer avec les formules rassemblées en mots les actes en formules et l'épopée mélopée de l'esprit comme disait l'idéaliste final frayant son lit défait dans tout ça abandonnant ses femmes religions comme autant de veuves frafuli ti frafulti couac si l'homme habite réellement le langage on ne peut pas dire qu'il y fasse souvent le ménage tu vois ce qui me frappe le plus chez les ennemis acharnés c'est leur accord par exemple leur manière à peu près semblable de te dire allons un bon mouvement vous devriez pro- créer comment voulez-vous sans ça qu'on croie à votre parole qu'on vous inscrive sur les registres ou alors marquez que vous ne faites rien ou alors ayez un vice limité visible non ah maudit tu seras toujours un enfant oui et qui vous chie à la gueule crapules c'est ainsi que la soi-disant répudiation de la chair danse la main dans la main avec mariage et déviations strapon- tins con fermé à double tour pour mystère et ça croit être sorti du christianisme vous êtes mal informés vous feriez mieux de vous mettre un peu aux pères de l'église un accroc de quatorze siècles dans votre culture ça commence à se voir faudra repriser le progressiste bourgeois radical ou matérialiste prétendant qu'il faut lutter contre l'ignorance du peuple qu'il faut d'abord prêcher l'athéisme mais ce point de vue traduit l'idée d'une lutte pour la culture pure superficielle bourgeoi- sement bornée il faut lier la lutte contre l'opium du peuple aux luttes visant à faire disparaître ses racines sociales je dirai même que cela oblige à considérer le véritable opium d'un autre œil cela dit gaffe à la pro- pagande attention attention le vague à l'âme revient un frisson spirituel parcourt le pays l'immense ennui des coïts coincés réenvahit l'atmosphère nous devons reprendre plus profondément le développement par bonds catastrophes solutions de continuité la transformation de la quantité en qualité exemples concrets imagés directs intarissables les impulsions internes provoquées par la contradiction application physique immédiate conséquences sur le sujet le choc des forces et tendances diverses agissant sur un corps donné dans le cadre d'un phénomène donné au sein d'une société donnée l'interdépendance la liaison étroite de tous les aspects de chaque phénomène et ces aspects l'histoire en fait apparaître sans cesse de nouveaux tenir bon pour le processus universel quel travail peut-être mais il s'agit de savoir ce que vous voulez passer à travers ou mourir dans le pot de crème saisir le moment propice ou rester séparés du feu sous l'emprise ronron vieille aigreur structures élémentaires les dieux disent-ils ne mangent pas sinon leur groupe familial quelle soupe ou encore les enfants nés du corps ouvert de leur mère sortent par le dos voilà mon sens des surfaces voilà pourquoi je la reconnais aussitôt yu la femme poisson qui danse avec la jambe traînante quand une chose se fait à l'est la gauche l'emporte oui le dessin sort de la danse chantée et si le dessin finit par s'exprimer à mi-voix par être aphasique ne vous en prenez qu'à votre incapacité de franchir le mur de vous retrouver avant la peinture au commencement immédiat et masqué du bal c'est pourquoi le geste qui noue et dénoue vraiment est sans forme et sans ressemblance vagues recourbant vite leur crête l'une sur l'autre et tant que n'aura pas lieu ce vidage de la tête aux pieds le contraire même de l'élongation de la vase obscène l'opposé canon du jouisseur qui fait sa corolle autruche exposant son cu à l'œil plus ouvert eh bien le sujet aura toujours peur du tonnerre il n'approchera pas l'anti-éclair sec violet sans couleur l'anti-tout le feu veiné brillant à l'intérieur faible et humide à l'extérieur poche au milieu je dis qu'il faut épuiser la vue répandre l'ouïe avant de la lâcher à son tour allons sortez-moi ce crâne l'or a voulu dire sonorité et le jade éclat branche feuilles flot source tout cela doit être glissé dans la soie les herbes lumière et canards volent ensemble les oies sauvages sont surprises par le froid les jardins ont des bambous verts les fleurs rouges illuminent les pinceaux et ainsi de suite on doit exercer gorge larynx poumons foie rate les deux sexes l'anus cuisses genoux plante des pieds comme front et la main saura retourner le dessus des boules tu continues avec l'étoile polaire est loin l'océan est profond les algues se rencontrent nous venons de diverses régions toute leur poésie est dualiste et relativiste fondée sur l'antithèse tuei les paires contrastées attention aux scissions précoces pour névrose obsessionnelle retour du guignol l'inconscient de l'analyste doit se comporter comme le récepteur téléphonique à l'égard du volet d'appel comme un ordinateur impénétrable allons allons vous savez bien que freud lui-même a comparé l'analyse à un enfantement à un accouchement plus ou moins réussi étonnez-vous après que ça recommence lors de la première séance un jeune philosophe aux goûts artistiques exquis se hâte d'arranger le pli de son pantalon je constatai que ce jeune homme était un coprophile des plus raffinés comme il fallait s'y attendre de la part de ce futur esthète elle finit par simuler l'imbécillité et une amnésie totale pour se défendre contre ce que je lui disais oui tout se fait à la résistance il faut distinguer la résistance à l'oppression et celle plus subtile à la libération même en leur révélant leur inconscient on provoque toujours chez eux une recrudescence de conflits une aggravation des symptômes ils voudraient avec leur passion dégagée de tout lien social tenir à merci l'opérateur lequel ne doit pas reproduire la course aux lévriers dont le prix consiste en un chapelet de saucisses un farceur s'amuse à tout perturber en jetant au milieu de la piste une seule francfort les coureurs se précipitent dessus et oublient la compétition ainsi que le chapelet promis au vainqueur faut dire que ça vaut l'coup d'œil d'ailleurs ils se transforment tous plus ou moins un jour en boudins c'est là que se montre logiquement leur anthropophage l'opposition agit donc à la manière d'un agent provocateur en rendant plus intense l'amour de la patiente en exagérant son exigence du don sexuel tout cela dans le but de justifier plus durement l'action du refoulement coup classique scotomisation au couteau représentation archaïque typique de la dévoration par le père gros étron lambeau de saturne se tapant exorbité l'épaule de son fils méchoui de toute façon le malentendu est inévitable le meurtre en douceur censure aussi faites ce que vous pouvez ramez godillez au flair passez sur la pointe des pieds plongez faites la planche le crocodile l'arbre mort la lettre recommandée l'amateur banal le plombier dites que le sommeil de la raison engendre les monstres que le sommeil des monstres fait ronfler la raison n'importe quoi ce sera pareil entre nous hein pas de blagues sinon c'est les bombes l'explosion des dépôts de carburant et retour du flic initial avec son vous voyez bien et là bêlement des masses qui peuvent normalement vouloir la répression un p'tit père sanglé digne de grand-mémé donc ce dualisme poétique s'oppose au parallélisme dans la poésie hébraïque l'antithèse comporte des antonymes stricts sans répétition de mots rien à voir avec l'énumération biblique hiérarchisée homogène tes seins comme des colombes tes couilles ta bite ton cu je sais que je choque toutes les fiancées de la terre surtout les fiancées mâles mais tant pis morning marche avec evening dew drops avec fallen petals pas de doute c'est le double en action

quel plaisir quand le bras pensé se perd dans le
déploiement des coupures allez on enterre le cadavre
ex-schize on n'en parle plus chiche quelle révolution
quel parfum d'amandes quel air laisse-les donc accomplir leurs petits tourbillons à côté sur place en cadence
oppose-leur ta silexualité lumineuse ils haïssent plus
le libéré qu'l'agressif pourquoi c'est pourtant simple le
second est tout près l'autre marque trop ses années-
lumière je n'y peux pourtant rien si après quelques
niaiseries deux ou trois remous chlorhydriques la pensée retrouve forcément sa tranquillité autant en vouloir aux pierres aux cristaux eh oui ça les rend nerveux
quand ils parlent quand orphée les fait rouler devant
eux plus on s'enfonce et plus la respiration est difficile
vers six cents mètres dans l'état actuel de la science
dormir fatigue plus qu'une sortie de travail autour de
la cloche les explorateurs sont plus crevés le matin que
le soir c'est ainsi que plus d'une avec qui j'avais soigné
ma technique vraiment tout gémie essoufflée râlante et
elle était contente et elle me léchait la queue après coup
gluante signe de satisfaction qui ne trompe jamais pouvait me dire deux ou trois jours après les yeux grands
ouverts translucide innocence j'ai eu un cauchemar tu
étais arrêté on te torturait on te défigurait complètement c'était affreux affreux qui ne comprend pas ce
phénomène n'est pas digne de marcher la nuit sur le
bord des toits le type qui vit avec une fille même et surtout la plus tressée décrassée doit se rappeler la phrase
sans réplique de juliette mon con se mouille en la tra-
hissant la cachotterie joue dans leur vie un rôle puis-
samment érotique c'est là qu'elles suintent le mieux
quant à eux ils ont besoin de dévaloriser l'objet c'est
automatique toutes les nuances y passent du paterna-
lisme au héros viril j' te tringle hein j' te tringle dis-moi
que j'te tringle je comprends que les filles maintenant

s'arrêtent et claquent de rire mais ça les ramène à la poupée entre elles y en a sans fin une qui fait l'un pour l'autre je protège je surveille je berce je baise j'explique j'enseigne j'achemine et eux entre eux c'est pareil mais enfin quelle est la solution paic oui paic donnera à votre linge cette blancheur veloutée des pistes de ski donc l'équation sexe et politique si l'on n'y introduit pas le langage demeure métaphysique l'indice d'une croyance non surmontée bien entendu il faut être attentif aux investissements sexuels dans la politique et inversement les premiers servent d'idéalisation les seconds de diversion mais la question reste posée comment dire ça dans quel rythme comment transformer la langue écrite et parlée dans le sens d'une respiration démontage de l'idéologie tartre verbal devenu muet orbital tantôt on est sur la berge tantôt au cœur du courant il est nécessaire qu'on sente ça très fort le courant la berge deux et l'un sur l'autre et l'un sous l'autre et l'un séparé de l'autre et l'un lié à l'autre courant berge courant berge courant berge courant en laissant le fil au courant il y a le nageur il y a le marcheur et le marcheur parle écrit chante siffle raisonne et le nageur souffle pousse se racle la gorge ferme ouvre l'œil accélère s'économise bref pense et la terre tourne avec ses villes ses plantes ses animaux et la mer avance et recule sous la lune et l'histoire se déplie les sciences creusent ça tourne à plusieurs niveaux pas à la même vitesse jamais à la même vitesse rien ne se développe de façon égale de là aux étoiles patati patata retour au sujet perdu grain de sable mais aussi plein monde de nouveau la lorgnette sur les classes tu reviens aux coulisses tu repars et de l'organique à l'inanimé micro macro têtes foules bourgeons fouillis sans que l'arbre cache la forêt ni la forêt l'arbre cette dernière expression sent les contes le petit poucet la veuve du bûcheron mais c'est ainsi presque à chaque instant tu tombes sur les couches denses les vies antérieures la plupart sont ainsi obligées de vivre au moyen âge sans le savoir et floc un tour dans la salle de bains les toilettes un détour par l'école le conservatoire le labo la bibliothèque tu gardes la pratique de base production usine clé en dernière instance ici du mélo et bong floup soupir en sommeil image de la mort seule et véritable amie de l'homme voilà tu as la partition dans ses grandes lignes mais évidemment rien d'essentiel à peine deux ou trois dessins un schéma d'manif un plan pour sortir ah oui sortir non bien sûr mais enfin pour battre les cartes l'infini que les choses n'atteignent pas dans la progression elles le liment dans la rotation c'est la grande valse de toute façon le mouvement du fini et de l'infini est celui du retour de chacun à soi-même à la faveur de la négation ainsi le liquide s'habille comme une étoffe de ce qu'il lave ainsi la fille de l'inentravée se dénoue pour qui va le chemin dites-moi dites-moi muses et tu embrayes mais qui parlera de la fatigue de la désagrégation du coup de faux ras des reins dans les nerfs quand tu es obligé de porter ce qui te porte et chaque os explosé par plaques les bras de plus en plus longs la position exténuée du gorille obligé encore de répondre de passer le sel oh je ne plaisante pas je connais le prix et moi oui peut-être j'aurai la force d'être encore plus faible brisé dans le cri mais il y a le supplice de l'autre confiant et brûlant et je sais déjà comment elle n'arrivera pas à savoir je la vois déjà les yeux ouverts incrédules gorgée de vie et d'odeurs emportée soufflée comme une torche es-tu capable de toucher son crâne troué de le soupeser de le lancer dans la course et de rire quand même de continuer est-ce que ça n'est pas le moment où tu craques où tu t'effondres où tu te prends sur les genoux où tu te fredonnes n'importe quoi do do l'enfant do pauvre enfant pauvre enfant les cheveux trempés les tempes et rien ne répond c'est l'impasse des hauts murs gris et elle est là contre toi le sang mouillant chaud ses mèches blondes un peu de bave à la bouche le cou étranglé le doigt dans la porte coupée fendue en plein vol un accident non ce n'était pas un accident que ne suis-je ton oiseau dit roméo et elle que ne l'es-tu il est vrai que je te tuerais par trop de caresses et lui détestable matrice de la mort je forcerai bien ta gueule pourrie à s'ouvrir et en dépit de tout je te gaverai de plus de nourriture encore ô combien souvent les hommes sur le point de finir se sont sentis joyeux ceux qui veillent sur eux disent l'éclair avant la nuit noire ils ne peuvent pas sentir du dedans cette jouissance inattendue aspirée celle depuis toujours à l'horizon l'excès retenu fusée allons viens mourir où fut ta vie et autres fins de rideau frappantes j'aime ces tragédies tout est orchestré pour ce genre de chute en sommet ça ne fonctionne plus ça fait ridicule dommage après le temps du bourgeois gentilhomme voici venu celui du petit-bourgeois gentilfemme le tunnel sera encore long quelques siècles autour de tout esprit profond grandit et se développe sans cesse un masque grâce à l'interprétation toujours fausse c'est-à-dire plate de chacune de ses paroles de son moindre signe de vie ah cette lueur de meurtre dans leurs yeux oui je te hais oui je ne peux pas te supporter là où on peut le mieux l'observer c'est en demandant à une fille de t'enculer avec un godemiché tu joues sur leur fantasme fondamental être le mec qui trombone le mec qui les baise pour elles c'est l'enfilade idéale qui concrètement peut être réalisée en la prenant en sandwich un devant un derrière et deux dans les mains et un dans la bouche c'est pas d'refus bouchez-moi d'partout je suis votre danaïde donc observe

bien comment s'égare même la plus froide en te faisant ça elle en devient folle tu sens passer le poignard
le frisson venu d'avant elles les couvrant comme un
ordre antique à qui à quoi obéissent-elles si on les
laisse aller jusque-là hou hou le nuage de souffre ta vie
ne vaut pas un gramme dans leur balance à légende
n'importe quelle religieuse sincère te le dira alors quoi
qu'est-ce qui se passe c'est la santé la maladie le vice la
vertu le bien le mal la perdition le salut mettez-vous
d'accord mes notaires est-il bon est-il méchant diabo-
lique angélique sublime effroyable pur pustuleux est-il
entouré de saintes de sorcières est-ce un mystique ou
un criminel les extrêmes sont-ils complices satan est-il
le loisir hebdomadaire de dieu la science a-t-elle bien
fermé la fenêtre la famille est-elle au complet a-t-il
passé ses examens fait son service militaire l'a-t-on
radiographié ponctionné analysé testé mesuré pesé sait-
il résoudre une équation du deuxième degré connaît-il
l'essentiel de la théorie des ensembles a-t-il le sens philosophique serait-il capable de faire un exposé sur le
troisième type de connaissance le thème de don juan
est intéressant dans la mesure où il est la parodie éner-
gique du père primitif au lieu de vouloir garder toutes
les femmes ce qui les entraîne à imaginer que leur droit
est d'en avoir au moins une on dirait qu'il les prend
toutes à la transversale c'est la diagonale du carré la
perturbation des racines en un sens lui qu'on accuse
d'être impuissant homosexuel on peut dire qu'il souligne le circuit des autres pratiquants ou pas il leur
abandonne le fardeau culture cueille le moment nature
rien à voir avec un excité un maniaque figure toujours
tolérée il suffit de voir le quatuor qui le traque l'hystérique et son papa mort doublée du fiancé ténor l'hom-
masse avec la fillasse plus la légitime bloquée sur
scelerato c'est son mot séduite mais vengeresse une

situation stable est une situation stable les voilà tribunal conduit par une statue et une tenture de mariée ils lèvent la patte sur les cendres ils sont grotesques comme l'inconscient en personne comme une série de lapsus comme la cité elle-même coucou mâles gros frelons inutiles y compris payeurs coucou le bordel secret mère fils filles et comment quel sens des muqueuses coucou le garçon défi dans l'œil de maman qui s'est voulue père coucou la fillette à tics reniflant la différence à demi coucou mère poulette décidée radieuse enceinte jusqu'aux yeux de l'extase en ventre coucou fiston-fille bouclé fruit confit tic-tac le mystère des montres coucou petite-fille à nœud échafaud résignation millénaire énigme de la pénétration caisse dépôts et consignations tous baignés irrigués terrorisés par la grande nerveuse berceau distraction avec sur le bord déjà mangés par l'oubli les adultes dieux soucieux ratés en conserve empêtrés d'emplois et d'impôts adieu petit monde adieu lilliput décidément on dirait que les côtes s'éloignent les montagnes sont des points gris la douleur s'efface comme une tache employez k2r c'est instantané l'univers fait-il un huit en définitive mais un huit d'esquisse et jamais bouclé oui c'est le spectacle total galeries courbes plafond des lumières haut-parleurs effervescence ondulation des rangées le spectacle ou plutôt l'anti-spectacle puisque tout se perd dans le tout se crée au fond je suis ce vieillard idiot étonnamment jeune qui sort avec le soleil frais comme une peau tannée désossée qui installe les tables les pots de fleurs chante fait la quête endort sa mâchoire à l'ombre bercez-le vagues laissez-le trouver pour nous le sommeil le mot houri est employé dès 1654 emprunté au persan hoûri de l'arabe hoûr pluriel de haoura proprement qui a le blanc et le noir des yeux très tranchés qualifications des femmes

du paradis du grec paradeisos de l'iranien paridaiza
enclos de seigneur parc au sens de séjour des bienheu-
reux archipel étale îlots même pas repérés perdus
comme on dit que la parole rentre dans le souffle et
que ce dernier atteint le cœur sous le cœur dont le feu
brûle le temps qu'il faut pour le croire retourné en
silence et jeter le couvert fourchette et couteau dans
la mer le point où il ne sert plus à rien montre l'os
ou la merde du personnage c'est une bûche il ne
répond plus il récite n'importe quoi s'ils rient effrayés
de leur coton fric ils donneront bien une pièce c'est
obligatoire ou alors il ne fallait pas avoir de figure être
dehors ou ne pas être dedans telle est la question qu'un
individu lucide ne peut pas manquer de se poser devant
certains événements naturels par exemple échos leu-
cocytes rayon tornade diamant mousse ferraille je ne
peux plus savoir si je suis éveillé si je dors j'ai dans la
tête une autre écluse intouchable approche approche
ne t'égare pas saute viens reviens renverse ronge-moi
la digue mais vas-y puisque je te dis de venir c'est elle
au fond la mort qui a peur de nous quel malentendu
donc mozart écrivit la clémence en diligence le visage
renversé dans les coussins au galop au trot au galop
vengo aspettate entre vienne et prague niemetschek dit
en 1798 qu'il acheva le tout en dix-huit jours pâle
malade mais toujours avec ses amis le même éclat
direct dans l'humour nietzsche a plusieurs fois certifié
n'avoir jamais mis plus de dix jours à chacune des
trois premières parties de zarathoustra silence de la
baie entourée de pins montée dans les rochers de
la gare au village lac glacé vert plus que l'œil froideur
des dix doigts la dépense ne supporte pas une règle le
retour de flamme non plus quand il a choisi surtout ne
m'appelez pas dionysos en plus avec cet accent j'ai
peur que vous n'ayez pas le sens du papillon du lancé

pour rien bleu clair morpho rhetenor le saturnia pavo-
nia jaune ou l'armandia thaidina de se-tchouen je ne
suis pas sûr que j'agirais avec la même énergie sur un
travailleur en train de battre un cheval mais un enfant
qui attrape des papillons si je le vois je l'étrangle le
coup de l'aiguille est un crime que je ne peux pas par-
donner plus ça a l'air de rien plus c'est grave et voilà
pourquoi l'autre a eu raison de dire qu'une pensée de
meurtre ou un meurtre sont équivalents équation qui
n'a convaincu personne donc vers l'an 2000 nous
serons en gros sept milliards dès maintenant l'environ-
nement pèse lourd contraint la balance l'horizon arrive
où il faudra bien avoir une théorie de la respiration
aurons-nous obtenu l'inconscient saurons-nous soigner
la compensation pourrons-nous échanger l'ancienne
nuit avec ces propositions logiques dès que nous nous
attachons aux objets l'existence et la non-existence
surgissent comme la houle cependant on dit que la
barque passe sans être secouée ni gênée aller et venir
sont des phases de concentration comment réaliser à
fond la perception augmentée révélant que rien n'est
perçu s'il est vrai que l'architecture est de la musique
gelée s'il est vérifiable que la fiction affleure se dissipe
comme un intervalle quand les mots gravitent peau
trace humide sillage wake il y a eu un verbe scier signifiant ramer à rebours pour revenir en arrière apprends
à écouter la corde tendue sur le son nul l'interjection
spontanée puisque je te dis que l'espace est vacant
qu'il suffit d'y aller quel velours aussi que l'écriture
elle peut ressentir en un éclair ce que des années ne lui
auraient pas révélé où est dieu dit pascal en employant
le langage du siècle partout où vous n'êtes pas et le
royaume de dieu est en vous c'est ainsi que dehors
sans personne et profond dedans si ça vibre font du
roman de l'histoire libre une étoffe inconnue jusqu'à

aujourd'hui mais de plus en plus déroulée rouge effer-
vescente à la fois chant de guerre rameaux savants
froissements genre envers de gong irradiant hithering
waters of vérité comme course non plus divine mais en
course et toujours en cours pour sa course renvoyant
chantage pleurnicheries sous névrose prenant force
dans le mouvement populaire fleurissant partout c'est
cette totalité pas une autre incessante parole sans parole
suggestion saveur ils en ont compté 5 355 en inde
disant que la nature est une danseuse qui se montre
jusqu'à ce qu'elle ait été vue non non pas regardée ni
vue au sens de regarder voir mais vue à la source en
prise au court-circuit du déjà revu c'est ainsi qu'un
moment la tête du rêveur se disloque dans la vision de
jour repliant sa nuit il y a une seconde où tu peux la
saisir à travers sa buée de flamme on dit que rûmî
composait en dansant on dit qu'il tournait tout à fait
ivre autour d'un pilier noyé dans l'océan de l'amour en
dictant ses rythmes à pic dans le dhawk pourquoi dis-
je moi ou lui puisque lui-même est moi et que moi je
suis lui je suis lui-même maintenant c'est de moi-
même que je parle certainement c'est moi-même que
je cherchais tu comprends à cette époque on s'oppo-
sait à lui on multipliait les dénégations on écrivait
contre lui des décisions juridiques on lisait des chapitres sur l'interdiction du violon du tournoiement
éclatant la vérité de ces paraboles s'observe toujours
après coup dans un pullulement d'imitations la variété
des applications des images des synonymes je n'ai pas
écrit le mathnawî disait-il pour qu'on le porte sur soi
qu'on le répète mais pour qu'on le mette sous ses pieds
qu'on vole avec lui c'est une échelle à ne pas attacher
autour du cou les pommes sont cachées sous les mots
les mots sous les pommes suppose que tu peux entendre
tout ça sans rien donner en échange si tu es sensible à

l'écume apprends la cuve apprends le tournant les anneaux de ta chaîne sont multiformes c'est pourquoi à chaque instant j'ai une autre folie l'éléphant se souvient parfois de sa forme quand ils échappent à l'empire du moi ils battent des mains c'est dans leur propre sang qu'ils dansent les phrases doivent être entendues de travers tout est banal si l'on veut mais allume les branches le cœur est un grain nous ressemblons à la meule celle-ci sait-elle pourquoi elle tourne le corps est comme la meule les pensées sont l'eau qui la fait tourner la meule parle mais l'eau connaît ce qui s'est passé voilà voilà ça démarre même dans la ville la plus cimentée t'as encore un oiseau pour te donner le trajet du fil du trictrac l'étincelle de la faucille cliquetis retrait c'est le jeune nomobody là-haut qui s'excite donc il dirige lui-même au piano le vendredi 30 septembre 1791 il mourra le 5 décembre sa belle-sœur josepha hofer jouait la reine de la nuit ce qui me plaît le plus écrit-il à sa femme courant octobre c'est le succès par le silence on voit bien comment cet opéra monte de plus en plus dans l'opinion die strahlen der sonne vertreiben die nacht eh oui tout finit dans la fosse commune comme schikaneder à vienne en 1818 ruiné fou l'autre exécution qui me touche c'est come ye sons of art le 30 avril 1694 avec sound the trumpet till around you make the listening shores rebound et dévalement croisé des hautes-contre que joyce cherchait à tâtons aveugle sur son poste parce que le journal avait annoncé le concert ce qui ne manqua pas d'étonner son visiteur n'est-ce pas nous avons des enfants partout et pas seulement humains des végétaux des minéraux l'algèbre si l'assemblage est fortuit la sortie n'a pas le même effet selon le contexte selon que l'opérateur se trouve plus ou moins proche des éléments naturels selon qu'il est au contraire dans

l'enchevêtrement industriel commercial bref une expérience féodale avec chevaux palmiers draperies femmes
voilées opium danse du ventre n'est pas celle d'un
aéroport d'une raffinerie de pétrole du métro des ban-
lieues mêmes avec crochet par le carrousel ou le crazy
horse ce qui ne doit pas minimiser le fait qu'à la veille
des changements de dynasties des révolutions les rôles
ont tendance à passer les uns dans les autres sexes
défixés flottants cycles apparents insistance sur le tra-
vesti les figures fluides se rencontrant brusquement à
l'angle aigu de l'irrationnel est-ce que le temps ne se
couvre pas oui on dirait il faudrait avoir la rapidité
l'arrivée chuchotante ailée des orages il y a vraiment
deux époques dans une vie l'une où le tonnerre te fait
peur une autre où il allume l'oublié toujours frais
miaulements d'enfants dans la mousse folie grouillante
énervée autrefois collée aux troncs d'arbres l'écorce la
noirceur des feuilles rappelant les têtes passées putain
le laurier parfum montant altéré je propose l'expérience
claquante opposée au fracas de l'air autrement dit
l'ouverture fermée retenue du sperme tisonnant le feu
ça rajeunit l'embolie on pourrait même dire que l'infarctus y séjourne ça permet de penser calmement
l'explosion démographique au 19e recul de la mortalité
souplesse des maladies dans l'orchestre les cuivres ont
une tendance à la bonhomie une attirance vers la
sexualité primaire ils aiment les blagues surtout celles
qui concernent la cavité buccale l'humour piquant les
instrumentistes qui font de la musique avec la bouche
parlent souvent de faire l'amour avec la bouche mais
le hautboïste est irascible en soufflant dans une hanche
étroite comme s'il baisait une femme frigide le hautbois reste en somme à l'état vierge le visage de l'exé-
cutant passe rapidement au rouge la compression du
sang dans le cerveau peut provoquer des évanouisse-

ments alors que le violoniste est acide ça part du mensonge du vibrato le violoncelliste lui évolue dans la tessiture de la voix humaine se montre plus généreux inventif s'entend avec le trombone pendant que le clarinettiste velouté harmonieux devient délégué syndical chaque interprète porte sur la poitrine et sur le dos une surface blanche comme un homme-sandwich rondes carrées rectangulaires en général ils rentrent en scène montés sur des bicyclettes des patins à roulettes des trottinettes chaque action est silencieuse mais si l'on entend un musicien parler pendant le travail les sons ont l'effet d'une démonstration accessoire on peut utiliser les microphones pour tester les microphones eux-mêmes certains donnent un caractère bizarrement rauque semblable au timbre affecté d'une voix synthétique l'explorateur doit donc s'infliger cette période tendue disciplinée de plus en plus sans efforts en tenant compte de l'équation du dit et du soutiré plus il approche plus la nature gémit se retourne exige le paiement la pommade sur la brûlure l'onguent d'épinière et lui doit maintenir l'huile matrice en plein feu laisser frire le secret gardé bien gardé le garde-manger la serrure c'est comme ça qu'ça parle dans la langue enfin des oiseaux oh mais la coupe est aussi nécessaire sinon la ronde est repérée le tourbillon coiffé dans l'œuf bouclage étouffé donc à intervalles irréguliers le plus irréguliers possible vraiment le poker allez la longue décharge ou encore très bref en butoir ou encore inversion du flux ou encore jeté sans prévenir par surprise ou encore minutieux rythmé bref le tout est d'affoler les calculs à la fin la grande et ses filles prennent leur écharpe à planète elles brillent et s'enfoncent groumées dans la nuit tu t'éloignes des mecs moutonnants cherchant la trombine leur incertitude te permettra de cribler partout leur savoir oui dieu est une pute exigeante pour se faire jouir c'est pas à tout le monde qu'elle donne son cu c'est pas tous les jours qu'elle s'envoie au ciel l'emmêlée baveuse bavette buvard des bavures bavochée bavarde buveuse bombée vas-y fais-moi mal et mlouck d'un seul coup criant sous les feuilles palpitant anus moulure écrasée granuleux effet pour connaître toujours su mal su et jamais connu alors charcot répliqua avec vivacité mais dans des cas pareils c'est toujours la chose génitale bien sûr bien sûr et en disant cela il croisa les bras sur la poitrine et se mit à sautiller avec son entrain habituel je me rappelle être resté ahuri pendant quelques instants et revenu à moi m'être posé la question puisqu'il le sait pourquoi ne le dit-il jamais elle est bien bonne celle-là le moment est digne d'une fresque grandeur nature d'un fronton d'une inscription dans toutes les langues il faut dépoussiérer la leçon d'anatomie refaire ça explicite gai genre mais dites-moi c'est pas bientôt fini votre cirque voilà lever du soleil prononciation détachée elle tourne dans le pourtant avec en légende on ne doit pas oublier que l'humanité pliant sous le joug de ses besoins sexuels est prête à accepter n'importe quoi pourvu qu'on fasse miroiter devant ses yeux la perspective d'une défaite en cette matière tu vois ça d'ici inscrit sur la grille des commissariats des casernes à l'entrée des cimetières usines écoles chantiers bordels hôpitaux alors un gars a dit à un chef on débraye parce qu'on est des ouvriers c'est une bonne habitude qu'on a perdue tout ça pour dire que l'idée de chronométrer les cadences vient assez rapidement aux types tu vois passer les bagnoles tu t'aperçois qu't'as beaucoup d'efforts pour faire ton travail tu coules t'es comme un ours en cage quand tu es sur un poste à la chaîne tu vas et viens sur cinq mètres toute la journée ces cinq mètres-là on avait eu l'idée de les fixer en met-

tant deux coups de craie par terre et de voir si on déri-
vait l'idée c'était on ne chronomètre pas mais on voit
comment on travaille c'est-à-dire sans forcer sans rattraper et si on coule eh bien on coule la seule méthode
c'est de mettre un seul trait de craie et chaque fois
qu'un châssis passe de regarder sa montre l'idée c'était
ils nous baisent on veut savoir de combien ils sont
quand même obligés d'avouer que la cadence affichée
n'est pas la cadence réelle mais la cadence instantanée
théorique la maîtrise en est arrivée à avouer que dans
la cadence réelle les pauses l'absentéisme le châssis étalon sont rattrapés par le temps où le remplaçant tient
le poste quand on va pisser aussi t'as comme ça des
voitures qui sortent et qui représentent le temps col-
lectif que les ouvriers ont pris pour filer aux chiottes
en somme pour briser une campagne d'encerclement
il faut faire une campagne de contre-encerclement
pour se défendre il faut attaquer voilà ce qu'on découvre
à la longue quand tu deviens vraiment le sujet lutte
interne de la plus-value ça te donne un instinct immédiat sauvage une intelligence aux extrémités toute une
culture des détails t'es comme un pianiste quoi qui
connaît le dessous des touches sens du coussin dans
les doigts liaison rentrée oui le temps de travail ne
pourra pas toujours être opposé de manière abstraite
au temps libre pyramide gravée liberté seule à l'écart
jamais reproduite non jamais jamais impossible avec
sa façon de claquer dehors ça me rend de nouveau
dingue ce cycle infernal la petite motte fendue tronc
d'église puis le fourreau sanglant des menstrues les
filles qui demandent à sortir en rougissant le passage
au four usiné puis la cessation avec dernier round tour
de piste affamé le temps d'être dix milliards de fois
enceintes au finish puis grand-mémé à savate sac poché
vieux cuir selle de jument pourrie et ainsi de suite de la

fillette à la sorcière de mon œil pendant que les mecs font l'éphémère entre eux voltigeant dans l'insectiforme elles disent que le fil du stérilet maintient la matrice ouverte ça leur donne l'impression d'être tout le temps écartées avec sécrétions écoulements plus ou moins favorisées par l'acte ou alors branlage obligé et nous tous membranés dans l'truc soufflés par la tranche et encore la vague et vlan soulevés vibrés et là-dessus diverses grimaces appelées langage pensée allusion gravelures soupirs passage des pompiers lectures et un jour que j'avais commencé à écrire tout ça tu comprends je rencontre un directeur connu habitué à passer le torchon et je le sens gêné il remue le doigt il me dit vous au moins vous êtes toujours de bonne humeur mais vos derniers machins c'est quand même canard vous êtes sur la pente et moi la pente de quoi et lui indicible boiteux dans le soleil au bord du trottoir se taisant soucieux angoissé tout à coup bref voulant me prévenir qu'il n'y aurait pas d'article dans son périodique et moi que ça aurait frappé autrefois déjà loin dans les rues désordonnées chaudes puantes les rues sans raison sans plan oubli des noms des parcours millions de spermatozoïdes pour un ovule quelle purge comment se faire aux bureaux à leur durée molle chaque nuit le coup de chiffon les comptes si tu peux avoir dans le même rêve les fesses les couilles la bite échauffée le con et le fric c'est presque le poème parfait j'ai l'impression maintenant que nous savons très bien de quoi ça retourne mais rien à dire hein rien à dire on revient ça tourne on turbine pour que ça tourne saisis plutôt chaque fois qu'une flammèche une aigrette se détache s'évanouit en passant c'est ça rien d'autre rien à dire hein rien à dire ou alors voilà encore la nuit qui s'étend la nuit rien à dire hein parce qu'on est quand même pétri faut pas déconner parce qu'on n'a pas tellement l'occasion d'entendre le volume du torrent pas vrai rien à dire bon voilà l'tonnerre qui repart zwing pas mal celui-là et toutes les feuilles vert noirci contre le ciment ou la pierre ciment rien à dire hein et pierre rien à dire hein quelle soif soudain tu trembles un peu oui c'est sournois fiévreux le moment vient forcément où ça bloque ce pays est un pays d'hiver même en pleine chaleur et comment disent-ils que l'apparence est la glace mais que la cause est l'eau par-dessous au-delà et que tu peux mettre le pied dessus si tu marches il est parfois difficile de se souvenir que la nature est ce non-repos de toujours encore l'orage viens ici sous le marronnier sens le souffle bas sur tes cheveux souples électrisés recomptés il est dit aussi que l'acteur doit y voir de tout son crâne à la fois avoir mille fils allumés sans y prendre garde viens laisse-moi coller mon oreille à ta joue contre ta mâchoire c'est là que je veux entendre ton silence en bruit couvert non bruité le torrent de sang nerfs brisure sur brisure ton imitation au plus près du non-venu non-perçu c'est quand les murs se reforment qu'il faut s'aiguiser l'écoute casser la voix du dedans en tendant les sons sous les dents là ne bouge pas reste pincée sur ta note je veux comprendre ton impératif ta lame le tranchant rouge et noir ton relief quel feu nom de nom quel brasier comme ça ruisselle hein le morceau quelle chorale tout le corps un cœur accroché au vide oui c'est rouge et noir rouge sombre noir clair là est l'amorce que rien d'autre ne peut contenir ça me tombe dessus tu entends les gouttes lourdes foules goutte à goutte sur le tapis toit végétal on n'atteint rien sans les yeux fermés dans ces lianes mais pourquoi cette cloche pourquoi ce désordre bing pourquoi cette contradiction avec la figure regarde-moi maintenant laisse revenir le regard crac ça vient ça filtre oui

melissa dorée le miel des abeilles la paillette ruche
cueillie dans les fleurs donc abeilles abeilles abeilles
celles des anciennes monnaies des manteaux des
traînes le signe à savoir dispersé pupille pépite retour-
née en sucre mais lointaine venant de loin du briquet à
siècles ah la méfiance de la jouissance comme elle a
raison si lente à briller fissurant l'écluse jamais mêlée
au côté coulant du courant difficile à saisir ce fond de
gâteau dans la chute apis fasciata en égypte dans l'an-
tiquité apis cecopria de la grèce apis socialis de chine
apis floralis dorsata de l'inde et enfin quelque chose
qui réponde à la projection enfin de quoi tuer par la
langue dans le pli des lèvres autre effet de la musique
si elle est tirée la pluie la pluie la pluie elle aussi est
divine l'origine de cette superstition vient en somme
des premières étapes il fallait danser pour la faire
venir se blesser pisser voilà ce qu'ils croyaient les vieux
de la vieille grimaçant hurlant appelant les nuages
orgasme sur leurs corps de champs au fond il faut
retrouver cet esprit nomade déposer la moelle manie
du sol des propriétés quel tronc cet arbre on dirait le
bienmal lui-même la vie brute écorce sève invisible
électrons cachés bon je crois qu'on peut y aller à présent suivons l'éclat du luisant on pourrait presque
tenir le milieu de l'avenue à cette heure fais gaffe y
a des rondes régulières par ici des cars qui font la
navette vise-moi ce silence ce ronflement la bourgeoisie tient encore ferme comme un réverbère imagine-
les dans leurs lits la chambre à coucher brouette légale
pyjamas chemises de nuit édredons oreillers children's
corner à couveuse les devoirs l'école bonsoir mes chérie vas-y salope fais-moi jouir va t'laver on ne sait
jamais donc le roman est un miroir promené le long
des routes simplement le nouveau modèle est monté
moteur même à pied on est en fusée on est pas des

120

pèlerins des cavaliers des marins d'eau douce le moulin à vent est passé bonjour sancho salut don quichotte
très beau début sur la volonté d'oubli de l'auteur en un
lugar de cuyo nombre no quiero acordarme oui ou
alors longtemps je me suis couché de bonne heure bref
l'espace à l'envers le temps profond ou alors riverrun
past eve and adam's c'est déjà davantage ce qu'il nous
faut tassé condensé il faut qu'on sente ça debout couché tournant enterré mouvant minéral aérien bourré
et vidé quelque chose comme arrivée-départ sans arrêt
plaisir douleur à la pelle plus moins moins plus et allez
que le lieu ait lieu sans le lieu ou encore rien n'aura eu
lieu sans milieu eh bien voici une sombre clarté tombe
des étoiles c'est pour nous en nous plus que nous bien
qu'invisible présent parmi nous qu'est-ce que tu siffles
we'll be glad when you dead you rascal you tu vois
le futur s'indique au présent discret sans philosophie
quand ça veut se dire c'est toi la contraction de l'espace
c'est toi pour le moment et voilà moi je trouve qu'on
devrait se traiter comme des sonates toujours se méfier
de jouer trop sec fluide lâché il faudrait que chacun
sente l'autre et soi à côté de l'autre impossible j'entends qu'on est deux à ouvrir la paupière on y est oui
on y est voilà de nouveau ça s'ouvre contre la spéculation du crime appelé lemnien vrai filet de la compagne
de lit devenue complice de meurtre n'empêche que
j'aime ton côté cheval galopant noble sauvage j'admire
comment élevée sur des rives lointaines étrangère à
notre langage tu rencontres partout la vérité comme si
tes yeux l'avaient vue eh cassandre vas-y piétine foule
le légume français moi je disparais toujours dans les
ports barcelone naples shanghai rotterdam hambourg
on me trouve en général dans un café près des docks et
si la mer rugit son rugissement devient de l'écume
donnant naissance à la houle du j'ai désiré être connu

hello socrate donc chez celui qui ne sait pas existent
des pensées vraies concernant ces choses mêmes qu'il
ne sait pas et ménon of course et socrate à présent ces
pensées viennent se lever en lui à la façon d'un rêve et
ménon well well cela va de soi quel tambour à plat ces
dialogues faisant de son cœur un voile plein de trous
comme une vieille couverture le disciple le met en présence du sage le voile rit par cent bouches chaque
bouche devient une fente ouverte on peut très bien ne
pas en parler et continuer à danser c'est-à-dire sans
montrer forcément sa forme au miroir tout est devenu
plus pratique quand nous traversons les plaines le soir
un mois de rééducation chez les paysans vous rendra
le fond plus sensible paille foin grain boue émissions
du sol fumier lourd horizon plus riche en retour il y a
un instant vertige quand tu tends le bras hors du savoir
absolu pour tourner la fleur elle est encore là et ce
n'est plus toi mais la fleur elle-même dévalant sa tête
perdue dissoute dans la foule l'été les chemises des
hommes les robes des femmes soie papillons rires
boissons sueur risée ventilée le peuple en sait toujours
plus long sur ce qui dépasse il est près du but ce qui est
devenu insupportable c'est l'îlot bourgeois coupé familial donc je parle pour ceux qui ont abandonné la forme
et l'écorce qui ont brandi l'étendard c'est-à-dire pour
tous pourvu qu'un surgisse en sachant que pas un n'est
en regard de tous qu'aucun ne peut être vas-y reflet
quand l'oreille est pénétrante elle devient œil sinon
la leçon reste emmêlée dans l'oreille sans atteindre le
nœud dehors saccadé comme c'est étrange cette évidence des vagues chargées de toute la réalité se poussant l'une après l'autre et ensemble à pic ce qui tombe
est aussi ce qui va plus loin les lettres sont prises dans
la négation qui revient au point et voilà l'abîme oui
mets ta main comme ça devant les yeux dans la nuit

livre-toi sans hâte entier à l'appel attrape le récit
nageur sous sa planche ils disent aussi que la patience
dont témoigne la rose pour l'épine maintient son parfum j'écris ces lignes au bord de l'eau du cerveau je les
laisse marcher dans la ville pour un avenir déjà au
passé qui me lit avance aussi dans l'écrit oh dis donc le
complice nettoie quand tu veux l'orbite allez recueille-
ment puis silence puis aphasie et connaissance puis
découverte puis mise à nu puis l'argile puis feu puis
clarté froid ombre soleil rocaille vallée désert fleuve
crue dessèchement ivresse éveil désir approche jonc-
tion joie étreinte détente disparition séparation union
calcination transe rappel attraction conformation apparition investie et la dernière idée près de la barrière
c'est mon lot mon moi vite à toi je suis le feu sans
fumée le lieu sur lequel quelque chose passe la goutte
d'eau est à la fois tête et pied sans ni l'un ni l'autre
l'eau a une eau qui la conduit khayâlun fî khayâlin
fî khayâl ou encore hamtchûn djûi bonsoir nouveau
chaque souffle l'acte fi'l s'il est né deux fois son pied se
pose sur les causes ça fait de la casse dans les régions
qui prennent l'accouchement dans la gueule série rom-
pue brusquement comme en somme les révolutions
sur plus grande échelle la chine exprime donc pour le
moment ce lieu rationnel voyez à travers la projection
les gestes vivants dans le temps soutiens-moi sur ce
bord fragile ne te presse pas de donner un corps un
contour trop plein à ce qui revient ça me rappelle une
fille qui ramenait tout à un problème d'hypophyse la
sexualité du canard du lapin ou de la lapine ponte
poches ça correspondait pour elle directement à l'éventail magazine torses bronzés poilus flashes flatteurs
impossible de la faire sortir du double registre mécanique éprouvette d'un côté vitrine de l'autre bourrant
le natal fallait être play-boy ou sachet glandeur beau

garçon dans le poulailler minet dans l'étable c'est fou
ce qu'elles espèrent de la mécanique par auto-masseur
finalement il y a un blocage psychologique en organes
pas question de leur faire renoncer à l'aval pour penser fibré chaotique clairsemé feuilleté compact pas
question pour l'instant de les intéresser vraiment aux
échecs à l'aspect squelette de l'anti-procès de plus en
plus je vois le mâle être l'os et la femelle chair c'est
vertigineux l'habillage avec moment boucherie impossible écart de la mort et comme dit l'autre la mathématique se transmet tout entière ou alors mon œil
c'est pourquoi nous devons penser en mouvement un
événement courant percurrent avec cheminées cols
déchirures attendre indéfiniment de l'avenir des informations reculées passées où saisir le sujet où trancher
la corde si l'élément atomique formel en formation est
aussi divisé condensé d'histoire position vitesse la diagonale aurait pu être une renaissance l'annonce d'une
géométrie plus profonde que je sens en moi derrière
moi avec l'odeur du grenier carrefour des mailles fin
réseau d'étoiles creuse creuse détache décolle renvoie on obtient ici une théorie rapide des enveloppes
l'algèbre et l'arithmétique sont des doubles de ce vent
langué hors effet mourir c'est être réduit à la vie dit-il
non sans raison la main sur sa formule magique omnis
determinatio est negatio niant le plumier infini j'y
pense chaque matin en m'lavant les mains oh le livre
des songes le bateau des passions vient maintenant
heurter les récifs nous avons un levier plus neutre ou
comique exemple je téléphone à une amie elle est en
séance voix sombre une fille pleure sur le divan le subjectif se travaille comme n'importe quel végétal c'est
ainsi que nous intégrons sans le savoir des différen-
tielles de bruit elle me demande de rappeler son ton
est tragique dix minutes plus tard elle est gaie tout ça

dépend des filtres arrachés dis si tu veux que je suis écrivain en n'oubliant pas dans certains cas extrêmes le sens précis attaché au sujet racine carrée de moins un les anciens disaient me voilà je je et encore je premier-né de l'ordre avant les dieux dans le nombril de la non-mort celui qui me donne m'a aidé un jour je suis nourriture mais je mange le mangeur de nourriture j'ai surmonté l'univers le fait de savoir ainsi est une clarté d'or qui rend fou furieux l'employé du savoir lequel enseigne gravement l'impossibilité de passer au-delà du foutre et pour cause bien rentrons dormons ensemble tu ne le regretteras pas il y a un milliard de choses que je ne peux transmettre que dans le sommeil comment mais comme ça sans rien faire en devenant simplement le bloc de toujours tu comprends dans les trois états il y a l'objet de la jouissance et celui qui passe pour le jouisseur mais celui qui tout en jouissant connaît l'un et l'autre n'est pas affecté viens viens laisse-toi plonger dérouler c'est quand l'autre dort qu'il faut juger sa réserve ventre mélodie en tête et forme flottée écoute le souffle derrière la pensée je tourne dit-il selon le tour du soleil en disant cela il tourne sur l'axe de son bras droit c'est ainsi que l'éclair rentre dans la pluie après avoir lui oui le nom est la parcelle qui lui correspond au-dehors et je dirai même que lorsqu'on a gravi la voix en conscience on voit rappliquer les noms doucement violemment il y a là une expérience qui reprend plus haut le délire écho dans l'écho merde les canaux sont aussi fins qu'un poil déchiré en mille parties allez brun blanc noir jaune rouge mettez-m'en soixante-douze mille et le souffle rentre jusqu'aux cheveux jusqu'aux ongles salut vieil occident gâteux barboteur ça commence à décanter hein camarades il faut reconnaître que vos profs sont un peu à court devant l'éventail qui a dit la vérité le révolution-

naire le fou le poète comme d'habitude mais la dernière catégorie comporte davantage de singes crois-tu
oui au fond politiciens névrosés et voilà ils sont désem-
parés parce que les manuels éclatent en poussière
qu'les bibliothèques sont parcourues d'un trait trans-
versal eh eh on s'y attendait pas au décentrement via
l'asie drôle de periplomenon eniauton voire même de
labentibus annis drôle de melos dépassant les gorges
forces productives rapports de production milliards du
procès à moi homère revitaminé torrentiel à perte sur-
gis là-dedans dis-nous la lumière dis-nous la raison
grandie d'étincelles de la terre de feu en passant par
l'arizona ou la steppe sans oublier l'hélice éclairée
debout de la biologie moi qu'est-ce que tu veux cette
aventure me passionne j'arrive pas à me faire à mon
cas aux duplicata nous sommes embarqués pas du tout
comme au dix-neuvième le vingt et unième est là je
sens sa transpiration vingt-deux vingt-trois vingt-quatre
vingt-cinq si je connaissais l'effet du trentième ou du
soixantième j'aime la certitude touchant l'ignorance de
l'avenir quel chemin parcouru quel cinéma en volume
pense par exemple à la navigation de la flotte de bali-
gant allant d'égypte en espagne le confrère de l'époque
écrit les païens cinglent à force de voiles rament gou-
vernent à la pointe des mâts et sur les hautes proues
escarboucles et lanternes brillent illuminant la mer les
voilà ils entrent dans les eaux douces passent marbrise
et marbrose remontent l'èbre avec toutes leurs nefs
lanternes et escarboucles brillent sans nombre et la nuit
multiplie leur clarté donc il faut nager dans la matière
et la langue de la matière et la transformation de la
langue en matière et de la matière en langue tribu
de matière doigts du parcours côté de chez swann le
soleil est encore celui d'autrefois mais zhang xu avait
la meilleure cursive sous les tang il se saoulait le

fumier criait courait en tous sens puis prenait son pinceau écrivait à toute vitesse il lui arrivait même de tremper ses cheveux dans l'encre pour tracer à vif xiè-huo veut dire écrire avec vie on voit ça nettement dans les caractères de mao le 17 août 1966 xin pei da les deux premiers confus le troisième agressif décidé sûr du nouveau et voilà c'est toute l'histoire la lutte des classes fait partie de la nature et la nature a le temps cette mouette est la même qu'il y a mille ans mais l'homme est plein de nuages ou encore appelons linga la marque d'un objet inaccessible à la perception et yoni le filet d'où tu as intérêt à sortir le plus tôt possible de façon à lutter pour le principe qui est dans ce qui vient et qui vient dans ce qui devient hors de la vieille nana moribunda pluramoche cherchant herr coït everywhere pour plomber le temps paraît qu'le père vico avait une petite queue en spirale genre cochonnet rosé vrillée caraco y en a qui disent qu'hegel a beaucoup changé après son mariage tandis que nietzsche dans les derniers temps avait tendance à murmurer que personne n'attraperait sa moustache il se peut que l'homme reste dans sa perception conique tandis que le point de vue infini serait plutôt cylindrique faites-moi tourner leur dit-il au lieu de m'ériger bêtement le monde est structuré en séquences parallèles ou encore en faisceaux gerbes explosion dont j'ai désiré la moisson la doctrine des ombres n'est qu'une perspective renversée et résulte d'elle-même quand on met le lumineux au lieu de l'œil l'opaque au lieu de l'objet l'ombre au lieu de la projection j'imagine de futurs penseurs chez qui la perpétuelle agitation de l'europe et de l'amérique s'associera à la contemplation de l'asie déposés par des milliers de générations cette combinaison conduira à la solution de l'énigme du monde l'humanité aime s'enlever de l'esprit ces questions d'origine

de commencements de fins elle jouit de casser sa
coque d'effacer ses traces d'être soyée saillée descellée
fuyée à la fin joyce allait écouter les animaux dans
leurs cages il courait ensuite prendre un pernod au
café du coin sa femme trouvait qu'il buvait moins à
table mais demandait aux voisins de venir après le
dîner pour qu'il dise au moins quelques mots le plus
souvent sur l'opéra d'ailleurs sinon pas une syllabe un
moment vient où le choix est là en personne c'est à
prendre ou à laisser à toi de jouer l'histoire change
la vie qui change le langage dans sa vie même donc la
chambre à échos de tes mots tout s'interprète diffé-
remment selon l'ouverture le 12 juillet 1972 mao est
en pleine forme il soutient disent les journaux une
conversation animée sans manifester la moindre fatigue
sa parole à soixante-dix-neuf ans est claire il montre
une mémoire étonnante citant des chiffres avec facilité
sur la situation économique de tel ou tel pays sur les
forces militaires de tel autre il évoque les visiteurs
français qu'il a reçus précédemment sans avoir jamais
à chercher un nom bref il apparaît à son visiteur
comme une tortue truculente les interprètes éclatant de
rire toutes les deux minutes l'idée centrale restant celle
d'indépendance atmosphère détendue légère mêlée à
l'eau ou à l'herbe women hai yao xuexi guren yuyan
zhong you shengmingde dongxi couleur vert-bleu
d'ironie laissant l'occidental bourgeois et chrétien de
plus en plus empâté gastrique avec ses images rentrées
de jeanne d'arc ou de richelieu ils sont loin mission-
naires généraux banquiers armateurs encore une tasse
de thé une serviette à la menthe encore un peu d'alcool
de riz quelques œufs de canard les camarades chinois ont tendance à nous traiter comme des bébés qu'il
faudrait nervurer fléchir assouplir je revois l'estimation rapide de cette fille d'abord les narines les lobes

d'oreille elle regardait les bords pour mesurer le degré de sommeil de nervosité pour eux visiblement le sujet est comme un nœud transitoire qui peut s'il est défait et lancé dégager une force réelle méconnue soufflée les échanges verbaux font des sauts imprévisibles balles de celluloïd au bout d'un jet d'eau mais non mais non inutile de tirer à la carabine accompagnez le mouvement plus haut plus bas encore plus haut ou plus bas c'est la première fois que j'avais l'impression d'être examiné à l'envers aussi bien syntaxe que zones érogènes pouf silence et remise en jeu dans les coins la sanction est un arrêt pour décharger la lourdeur les points se comptent d'eux-mêmes on dirait qu'il n'y a plus d'arbitre transcendant le jeu pas la peine de citer directement le jin ping mei le rêve du pavillon rouge ça coule discret brûlant immédiat on sent les doubles agir s'incurver coup droit revers droite gauche le sens peut rester papillon suspendu le rire donne la nappe l'enveloppe des déplacements latéraux quel nouveau rapport mâle femelle j'ai toujours cherché ça au fond seul avec tous plus vite plus léger plus coloré dans les pentes les ailes la chance marquée détournée oui papillon se dit hutiaor ainsi dans les éventails jaunes bleus poudrés dépliés bref on n'a pas affaire à la même conception de la production non les siècles ne se suivent pas forcément comme des fourmis il y a plus de constellations que vous ne pensez eh pourquoi le matérialisme historique devrait-il être ennuyeux alors qu'il est la navigation en détail la possibilité de vous débarrasser enfin de votre sac à moins que vous ne teniez à renaître encore et encore sous la même forme fantasmes promenades autour du pot rêves demi-tour garde-à-vous fixe interdit de l'inceste pour garder l'illusion du tuyau d'maman entre parenthèses je précise que la plus farouche ennemie de la libération de la femme

c'est toujours la femme dans ce qu'elle apprend à son
fils dans la salle de bains ou les cabinets passons nous
dépeuplerions les métros les plages c'est vrai qu'une
fois qu'c'est vide il se fait un souple intervalle dans
l'univers l'acteur se trouve con sur son précipice il
reste à régler cette foutue séance d'agonie le sang claquement de dents râle torsion des viscères spasmes
yeux révulsés en résumé le vrai coït de l'affaire j'imagine le laminoir comme une sorte de baiseur indifférent recevant veau vaches cochons oiseaux vieillards
soldats femmes enfants civils cancers malaria typhus
balles dans la nuque accidents d'avion de voitures
déraillements de trains et j'en passe mais la chaudière
n'est jamais vide et little humanity se défend coura-
geusement chaque soir au lit produit surproduit ici un
moment où on voit l'acteur hésiter à devenir un en
tous comme un rideau de voix mortes tendre le bras et
dire cette fiole contient le néant par ma race différé
jusqu'à moi sur un ton blanc impersonnel va-t-il boire
la solution de trauma va-t-il jeter les dés au hasard se
vaporiser la grande ourse mallarmé racontait qu'il
avait rencontré un jour baudelaire portant une lettre à
la main comme une élégante dans la rue d'amsterdam
il s'enhardit l'aborde bonjour maître comment ça va
pas mal merci et vous bonsoir difficile de passer par ici
sans avoir envie de se jeter sur les voies ferrées on peut
finir aphasique bloqué sur crénom ou serrer sa sangle
à la glotte disparaître les yeux bleuis dans l'abîme
étranglé du son artaud a été trouvé assis au pied de
son lit dose trop forte de bardo d'asile et aussitôt l'épicerie commence ça presse autour des papiers ça va
renifler l'odeur émanée du crick rissolé broyé les voilà
le nez sur l'énigme comme s'ils avaient voulu cacher
quelque chose comme si leur pénis était conservé entre
les lignes coton bandelettes les voilà transportant de

source en source l'hermaphrodite supposé crayeux endormi dis-nous ça le ballon qu'éclate oh dis-nous qu'on puisse commencer les cours or le facteur révolutionnaire dans la psychanalyse c'est l'idée que le corps est une organisation politique je propose d'y pointer direct en coup d'œil et pas d'échappatoires hein voyons la pratique le moment est venu de se déplacer logopeia phanopeia melopeia en surface alors si la littérature est l'autre de la théorie disons que l'autre a grandi la hantise du petit objet détaché parcourt leurs discours on a l'équation connue prépuce hostie que j't'avale répondant à caca queue enfant mais en plus émincé de veau pour symboliser les travers c'est pourquoi ils ont pu penser que le trait de ciseau était toute la bande allez de nouveau à genoux en prétendant que la classe des ensembles qui se contiennent eux-mêmes n'existe pas et ta sœur elle y va toujours oui ce qui les déroute c'est en fait ce sujet dans son ne-pas-dire faut reconnaître que les écrivains en disent trop ou pas assez mais ces tâtonnements ces recherches ces chocs aboutiront tout de même à une œuvre à une composition inscrite fixée dans ses moindres détails et notée avec des moyens de notation nouveaux à cela près qui est encore très loin et en même temps de plus en plus près que la composition au lieu de se faire dans le cerveau d'un auteur se fera dans la nature et l'espace réel avec par conséquent une immense richesse objective en plus empêchant l'appropriation en douce exigeant le risque de l'exécution dévoilant comment le numéraire réel soutient le fictif comment le cric-crac de l'ébat jouissance part de l'identification fléchée c'est toi mon roi ou ma reine hop gobée l'épinière on n'en parle plus faut s'y faire c'est ainsi quoi qu'il en soit eheieh asher eheieh débrouillez-vous avec ma courbure les marées vont en croissant des quadratures aux syzygies et en décroissant des syzygies aux quadratures je ne suis plus un homme dans le corps d'un homme on appelle anâgamî celui qui ne retourne pas sur ses pas le perdu de vue élie le ravi viens serre-moi j'aime marcher dans le noir il faut un sacré entraînement crois-moi des années en rond chaque soir être oublié radié fossoyé avoir martelé les combinaisons de base xx′ femelle xy mâle ou xyx avec différences pour l'appareillage sexuel et la peau je me demande si l'on a suffisamment remarqué que le daltonisme comme l'hémophilie se transmettent par les femmes et n'affectent que les hommes c'est une de ces plaisanteries dont la nature est prodigue un de ces lapsus qui font que nous avons droit aux circonstances exténuantes à l'extrême-onction après l'ablution je subtiliserai dit la fontaine un morceau de matière que l'on ne pourrait plus concevoir sans effort quintessence d'atome extrait de la lumière je ne sais quoi plus vif et plus mobile encore que le feu oui oui ils y ont tous pensé je crois même qu'à un certain moment chacun a dû entrer sans pouvoir le dire dans la musique dont la mélodie attrape parfois le contour de toute façon cette distinction de la forme et du contenu est purement didactique car les forces matérielles ne seraient pas concevables historiquement sans la forme et les idéologies seraient de petites lubies individuelles sans les forces matérielles c'est pourquoi la manière d'être du nouvel intellectuel ne peut plus consister dans l'éloquence moteur extérieur et momentané des sentiments des passions mais il se mêle activement à la vie pratique comme constructeur organisateur persuadeur permanent parce qu'il n'est pas pur orateur et pourtant supérieur à l'esprit abstraitement mathématique il sait reconnaître la filière à neutrons rapides le réacteur source harmonie qui dans un flux stable permet la mise au point des détecteurs il sait vite remplacer une particule entrante par son anti-particule sortante le problème une fois branché sur l'effet nourriture digestion excrétion respiration méthodique consiste à ne pas dériver dans la pâte à maintenir la tension autrement dit à apprendre à perdre c'est là l'étonnante condition du report l'acteur peut désigner ça par la fonction d'onde de sa molécule pour échapper au cycle il devra s'écraser lui-même dans l'ombilical allons poussons insistons ça se fait dans le temps hors-temps en usant les pistons de l'ordre le canal génital maintenu phallique par tir de barrage à cartouches orales anales mesure du mètre étalon poteau totem pieu des filles qui croient l'être ou l'avoir au terme de la loi des places roulement à billes ce n'est pas toi qui es désiré pauvre con mais la panoplie des rapports de forces tout est prêt pour empêcher ton déclic à travers l'alphabet sans moi sans surmoi ce qui fait problème c'est l'éclairage de ta fiche célibataire ta mariée mise à feu branchée au standard elle était belle comme la femme d'un autre il était beau comme un autre ce que j'aime dit-elle c'est le mec sur moi viril prenant l'initiative comme disait marie-chantal entrez ou sortez gérard mais cessez ce va-et-vient ridicule il y a une métaphysique de la bielle voire de la partie de football l'analyse consiste à lui faire chuchoter ainsi ses désirs du jour on a des surprises le truc est amorcé de dix mille façons en miroir je rêve des culottes séchant sur les toits drapeaux de la chose claquant au vent séchant au-dessus du trafic chaque matin de plus en plus engorgé fumant les fenêtres s'ouvrent secouez les draps les serviettes ah voilà l'hymne puissant de l'espèce bel enfer horrible puant parfumé graisseux taché invincible les marchés s'ouvrent les légumes arrivent les livraisons le lait microbien les poubelles mais avant que ça ronfle sors donc sors lève un peu la

tête sens le souffle sucré salé gazeux de la voie lactée
foutre que la nuit est claire la mère et le fils accouplés
permanents mielleux tiens je retrouve mon voile vivant
froissé à l'envers pas toi non vraiment mais qu'est-ce
que tu fous tu te fais baiser par tes anticorps ou quoi
pour y revenir encore une fois la résonance se présente
comme une particule qui se désintègre en un temps
très bref après avoir parcouru des distances microsco-
piques de sorte qu'on ne peut la voir dans les appareils
mais qu'on observe seulement des produits de décomposition on appelle sa masse incertaine largeur sans
oublier que le système d'ensemble n'est stable et à proprement parler étatique voire groupé que s'il a une
énergie plus basse juridique enseignable que celle de
ses constituants isolés voilà une indication si tu veux
maintenir l'ébullition dans ta chambre n'oublie pas
que chaque liaison est représentée par une fonction
d'onde à deux centres occupée par une paire d'électrons venant de deux atomes liés vas-y respire ta pro-
babilité de présence les nuages remplacent maintenant
les trajectoires nous évoluons avec ce brouillard spectral toute éjaculation émet un coup de pensée non
pensé c'est même à crever de rire et voilà au large de
l'agglomération les mouettes foncent sur les vignes
tout se mélange à présent je dois dire que j'ai plutôt
mal au ventre envie de vomir tandis que le dc 9 poursuit sa navigation au-dessus des alpes glaciers lacs
moraines pics rocs attachez vos ceintures éteignez vos
cigarettes on dit qu'un des cosmonautes avant de se
dissiper dans l'atmosphère a pu parler une heure et
demie avec sa petite famille sa femme sa fillette à
nœuds roses le président qui avant de porter sa fausse
urne l'a assuré que la nation ne l'oublierait jamais ici
probablement coup de gomme un héros peut pas finir
en dégueulant sur la science plus loin image de la

veuve caressant lentement sa photo et retour sur le résumé du tour pour l'être parvenu à la limite improductive le sujet s'éprouve comme survivance accrochée au glissement cellulaire en halo on peut même dire que la réflexion des parcelles est à la fois relance et déclinaison des sommes infinies sans cesse en excès d'un tout la conception d'un tout étant d'ailleurs le moment de l'exclusion d'un reflet possible c'est-à-dire du continu plus-value donc problème des germes l'exploitation de l'homme par l'homme a fait place à l'exploitation de la partie par le tout socrate était un homme donc tu es mortel tu seras un homme mon fils ça t'apprendra le conditionnel au début était donc la répétition un plus un plus un plus un plus un c'est foutu quand tu commences à compter immédiatement profil mensurations des empreintes l'horloge parlante au quatrième top il sera exactement l'instant de l'universelle minute en cocotte bardo veut dire intervalle ici la surface exprime aussi bien le vide dans les objets que les objets dans le vide l'espace est suspendu points d'effervescence tenant ses nœuds-forces on peut si l'on y tient mais vraiment pour le seul usage des conférences distinguer des transes maternelles calmes les possessions démoniaques très en usage au brésil les spasmes guerriers les voyages visions révélations ad hoc individuelles en général la femme de l'opérateur fait plutôt la gueule dénigre les expériences sauf si elles ont un horizon nettement sexuel quand les nœuds sont défaits on retrouve la mort dans la soie c'est normal comment voulez-vous vivre avec une nappe d'eau insaisissable avec un corps qui se voit et se voit se voir se voyant vu visible invisible donc sans cesse en train de dire au revoir ça n'est pas un père ça madame c'est pas une mère donc marx fait sa découverte en partant d'une analyse micro de la marchandise incroyable qu'on ait rien compris avant lui ce qui prouve que l'histoire produit les hommes qui conviennent à son décalage y a pas à s'en faire plongeons faisons-lui confiance même sur quelques milliers d'années ou bien plus quelle importance la seule question est de savoir si on se sent fait ou non pour des durées sans durée on aura donc intérêt à partir de la cellule familiale à insister sur de petites choses qui n'ont l'air de rien là où la grenouille se gonfle se prend pour phénix nous impose son baratin son gratin si le corps devient transparent plaf aperçu du crâne cœur gorge nombril cu couilles comme des roues traversées par un axe trêve toute provisoire d'ailleurs dont vous pouvez profiter pour lui mettre du sel sur la queue à qui ben à l'oiseau bien sûr à condition de l'appeler maman juste quand il sort du polaroïd placez-vous dis-je o moutons dévots placez un a sur la racine un a bref tenu dans les sons y compris les consonnes voilà le sein du langage vous l'entreverrez rouge-brun demi-doigt fil vibrant incandescent corde frappée par le vent ce garçon est insupportable on dit qu'il a positivement craché à la gueule du curé qui le baptisait qu'il n'a pas cessé de chahuter à la messe comme à l'école qu'il se moquait de la branlette de ses copains qu'il restait insensible o crime devant les pornos qu'il s'est soustrait à la propagande saucisse l'abbé me l'a dit impossible de lui poser des questions spéciales de l'entraîner dans le clair-obscur de le faire haleter au confessionnal plus tard il vous bousille toute une classe de yoga en posant des questions idiotes il ne respecte même pas l'agrégation la carte du parti impossible de l'impressionner avec la folie le rêve la mort la naissance on a beau le menacer il continue ses excréments n'ont pas l'air de le fasciner il ne tremble pas o scandale devant la sodomie argument suprême alors comment faire que devient le secret dans ces conditions l'en deçà l'au-delà l'autre l'ailleurs et en plus il paraît qu'il jouit pas possible si machin l'a vu en partouze à l'aise comme chez lui trouvant chaque fois des filles complices inconscientes quelle horreur et en plus vous savez comment elles sont si on les laissait flotter oh oui professeur c'est inadmissible deux millénaires pour en arriver à cette désinvolture je vous jure c'est désespérant comme les saisons les marées le vent le bouddha lui-même couleur de fumée ou le tri ratna d'éventail ratnasambhava il dit que dieu et tout ce qui s'y ramène y compris le savoir ou le sérieux social est une carie ou une avarie et que cela est prouvé par la manie de ceux qui s'y glissent où allons-nous grands dieux grands-parents mais c'est le monde à l'envers qu'il dit enfin à l'endroit au secours au secours que deviennent le poids des souffrances la discipline la transmission du coton je dis qu'il faut le surveiller l'encercler poser partout des plaques isolantes tu comprends voilà à peu près leur réaction de base note-la mets-la en équation c'est toujours la même c'est sans doute pourquoi ils aiment dire que dès l'aube de la préhistoire les sépultures parlent plus que tout autre vestige des premiers balbutiements de la pensée rien ne les choque comme la profanation des tombeaux sauf bien entendu s'ils agissent pour un compte archéologique en délogeant quelques muets pharaons rien ne les irrite au fond comme notre devise shengzhe ji ye sizhe gui ye la vie un séjour la mort un retour ça les blesse à mort ce testament du marquis sur la montée bourgeoise et petite-bourgeoise voulant être enterré au cœur d'un taillis et qu'on sème des glands sur sa fosse pour nier sa trace comme dit-il je me flatte que ma mémoire s'effacera de celle des hommes pour qui se prenait-il celui-là vouloir disparaître sans restes quel culot surtout après avoir répandu partout sa jouissance en plein dans les phrases et en plus sous la forme de personnages féminins pas de pardon non pas de pardon pour celui qui se vante d'incarner à l'avance les intentions de l'histoire pas de quartier pour celui qui a osé écrire je me suis fait un principe de mes erreurs et de ce moment j'ai connu la félicité viens plus près caresse-moi doucement raconte-moi des horreurs en passant je propose une grande enquête auprès des femmes mariées les plus honnêtes les plus maternelles sur les manies de leurs maris et des types en général pour autant que ça n'se passe pas dans le noir sans un mot chacun pour soi l'écluse pour tous mais oui chéri ça sera très bon pour ta carrière ah le mana se perd où se cache l'orenda l'ancien numineux l'auréole le sacré pour collections bon marché la protestation religieuse est toujours un symptôme de revendication politique furoncle non-dit remis gardé au four porteur du futur dans ses éclaircies exemple désagrégation du christianisme surtout du protestantisme lié de plus près à l'établissement intime du capital vieilleries catholiques féodales mais aussi contradictions curés maquisards tireurs dies ira perchés sur les toits abattant froidement anglicans méthodistes anabaptistes crise de l'orthodoxie kimbanguisme local bonzes torches cigarettes zen islam bloqué judaïsme éclairé lié au dollar humanisme de plus en plus rance bref bazar bouillie de la longue sortie oh j'aimerais qu'on s'balade un peu là-dedans comme dans du verre fantômes légers aérés ceux qui veulent connaître connaissent celui qui a envie d's'en aller à lui de juger le problème vie mort n'est quand même pas réductible au couple natalité mortalité genre démographie avancée la femme est fécondable entre 15 et 49 ans le taux brut de reproduction exprime le nombre de filles que met au monde une fille nouveau-née dans des conditions déterminées de fécondité et une absence de toute mortalité exemple 1,29 en france en 1967 ce chiffre signifiant que si 100 filles connaissaient à chaque âge de 15 à 49 ans révolus le taux de fécondité de cet âge qu'on a observé pendant cette année et si de plus elles n'étaient pas soumises à la mortalité elles mettraient au monde en tout 129 filles nouveau-nées on voit immédiatement que les populations riches sont moins reproductives que les pauvres l'ignorance étant un argument sexuel massue à quel point tout ça est lié au langage on s'en doutait un peu hein on n'arrête pas d'en parler sous cape même que l'écrivain est en général étonné de provoquer une telle animosité lui le professionnel des grossesses à l'envers l'expert du mot de l'énigme est comme le disent maintenant les sociologues la frayeur devant la mort qui existe depuis que le monde est monde semble faire place à l'effroi devant la vie ceux qui après nous écrirons l'histoire diront peut-être que cette substitution est le trait fondamental de la sensibilité humaine à trois décennies du troisième millénaire ah oui millénaire de qui de quoi pour qui et pour quoi coucou sôma sêma l'occident a toujours postulé que l'être existait que le savoir était possible et qu'on pouvait le transmettre sauf gorgias pressentant la faiblesse de ces postulats sous-entendant la rhétorique est le domaine des opinions la philosophie est un sport lui non plus n'a pas été écouté par le birth control et pourtant prenons les bactéries divisées en deux en moins d'une demi-heure vous en avez des millions par centimètre cube avec mutations au hasard je voudrais tout de même souligner que le développement de la biologie s'est fait en sens inverse de l'évolution saluons l'escherichia coli k 12 au passage c'est sans doute pas un hasard si les débats sur la croissance économique la répartition des richesses la pollution et tutti quanti restent si pudiques sur la limitation des naissances de quoi s'agit-il au juste hein au-delà du sempiternel refrain monopoles vieux travailleurs oui d'accord le socialisme absorbera le capitalisme socialiste capitaliste socialisé capitalisé mais enfin on n'avancera pas d'un millimètre tant que la jouissance continuera d'être une affaire privée français encore un effort n'oubliez jamais la raison du plus mort c'est brûler et non être consumé qui fait que l'on est détruit dans une destruction qui ne se détruit pas que l'on peut enfin devenir ténèbres palpables eh on se prive d'aucune grande interrogation dans le coin pendant que des millions d'hommes souffrent de la faim allons allons silence le père lamorale ils liront ça un jour dans des universités ça fait pas un pli laisse déborder le nouveau comme il est fantasque fluide insatiable naturellement baiseur sans soupapes même de mauvais goût faudrait pas confondre les populations laborieuses du cap avec les copulations laborieuses du pape ok elle est archiconnue t'es fatigué mon poulet laisse un peu la bouteille on approche le ciel pâlit ou alors viens encore ici qu'on se touche non plus rien à fumer dans l'odeur de thé cool cool be cool n'empêche pas les couleurs c'est partout safrané violet jaune blanc plein de fleurs plumeuses si tu coules le bout de la langue là sur mon bouton ah salaud tu me fais mouiller je bande oui maintenant oui oui donne donne donne encore ça me rappelle une grosse verte à volants parfumée suante qui pouvait rester une heure sur le bout du gland trépidation de mouche sur les lèvres électrisée froide entraînée avec le moment émouvant pour elle aussi malgré la consigne et longue aspiration appel des racines elle avalait tout elle laissait la queue nettoyée au tour et après gratuit rarissime suçant le cu feuille de rose je devais avoir l'air bébé j'étais vachement gon-

flé pour mon âge c'est là que j'ai pris avance et retard
série de dessins diagrammes notes esquisses photos
mauvais livres bons livres regard plus loin air de rien
c'est quand même une traversée tous ces sexes les poils
l'odeur les formats un tu embrasses deux les seins trois
la main sous la culotte vérifiant la montée liquide
quatre lente station d'excitation avec doigt bouche
obtenant décharge clito cinq dessus dessous derrière à
côté tourbillon plasma vaginal six quelques brutalités
pour corser levrette sodomie rapide puis de nouveau
souffle à souffle attouchements lambeaux parlés chan-
tonnés hypothèses fantasmes érection retour mesure
des boums de la fille en priorité zling tordue tu la
prends en marche tu silles sa trace au moment où elle
retombe le tout est de la prolonger dans l'effet si tu y
tiens c'est loin d'être obligatoire comme on le croit au
début même que toute l'astuce est de découvrir l'envers du machin son asymétrie si tu peux bander y aller
et te retenir qu'elle y aille et toi non tu commences à
faire des progrès ça te rajeunit ça te fait penser en plus
frais au fond toute la machine est prévue pour faire
dégorger peu importe que ce soit au bon endroit ou
ailleurs le programme c'est qu'ils giclent nous ferons
le reste et voilà pourquoi elles adorent secrètement
l'obligé du truc le fana masturbe ou le même à même
l'identife marche au quart de tour dans le clair-obscur
soi-disant désir on peut dire que le mec qui contrôle
pas son foutre n'a jamais rien pensé de sa vie réelle et
voilà aussi pourquoi ceux qui se croient les plus éloi-
gnés de la reproduc y sont en plein cœur confirmant la
règle ça explique aussi très bien la frigidité statistique-
ment importante comme le mythe du fier-à-bras donc
proposition renversement de la perspective les filles
devront écrémer constamment et les mecs brûlants
bien bandants devront éviter l'impôt le prélèvement en

observant le tranchant la crête à vif du raclage raflant les enjeux vlouf coup de reins tramé du dehors limé pressé compressé épointé affûté crampé ils reverseront dans la vraie dépense ils deviennent le joui du pas joui le pas joui du joui flambé explosé avec condition sine qua non de prouver de temps en temps le côté volontaire de l'écart pour qu'on dise pas partout impuissant dérobade facile ça détruirait l'angélus en conséquence je propose des éclats techniques contrôlé sans froideur complice sans plaisanterie ni recul quelque chose de chaleureux sombre enflammé non non rien d'archaïque rien à voir avec la chine ancienne bien que la racine tan veuille dire étendre continuer ou multiplier je dis que tout est prévu pour empêcher l'expérience on pourra les voir se sacrifier par milliers et crois-moi pas facile de tenir sur le pont avec ces kamikases je trouve mon projet vraiment postdivin plus vicieux que rien jamais pensé ni rêvé sous tropiques partout des femmes épanouies langueuses des mecs réfléchis secs directs et s'il est vrai que le degré d'émancipation de la femme constitue la mesure naturelle de l'émancipation humaine imagine un peu l'explosif la nouvelle entrée de la mort plus d'pilule plus d'castricte nous obtiendrions sans tarder les grandes lois d'la courbure l'axial refoulé autrement dit quoi en tant qu'il y a des hommes qui existent dont tu peux varier les prénoms ce sont tous des femmes l'homme comme tel n'existe pas sauf pour cacher cette vérité qui d'une part assure le singulier incarné de l'autre renvoie via la mort l'étincelle dans l'universel omnia quamvis diversis gradibus animata sunt quel progrès à partir du moment où s'éclaire l'ombre de maman façonnant partout son pénis pistache quand chaque mec n'est plus que sa branlette de la tête aux pieds rien n'est changé ou plutôt toute la conscience est transformée par ma découverte c'est la double issue d'une part voilà je suis votre gode de l'autre minute je file dans la cause effet bref le schizo devient diplomate entreprenant imbattable assoupli post maso genre oiseau il surgit dans ce nouveau monde où nietzsche n'est plus obligé de passer onze ans chez sa mère avant de s'éteindre derrière sa vitrine après l'explosion dionysos contre crucifié on obtient alors l'inéluctable comme un beau vaisseau voyageur la nef des fous et allez vas-y la musique au fond la métaphysique trouve ici sa résolution résorption suffisait d'oser dire ce qu'ils savent tous plus ou moins sur l'oreiller tapageur ou au bord de l'agonie voire dans les hôpitaux de campagne lumière rationnelle sur l'flatus vocis midi midi un devient deux la stérile question destinateur ou destinataire fait place avec son message et son code au tourbillonnant matin du destin non l'homme n'est pas le berger de l'être non il n'est pas question d'abri de gardien de séjour maison habitat paysan sillon être de là ne pas être là se faire donner le la par le la et tout ça pourquoi parce qu'on n'a jamais voulu faire passer le le dans le la c'est-à-dire dévoiler enfin la fumée du la c'est pas madame qui dira l'contraire ah les moutons se jettent dans l'étang ça panurge en dehors du temps faut dire aussi qu'adolf en était une au premier coup d'œil heil paraît qu'à auschwitz l'un des kapos cultivés disait aux juifs près du crématoire entrez entrez ici aussi les dieux sont présents donc avouons-le nous portons contre les grecs et tous ceux qui ont voulu s'en laver les mains une accusation de base nous ne reviendrons pas là-dessus oui mon lapin deus civet natura la philosophie a quand même fini par cracher son secret pas vrai dans les chambres à gaz allons allons vous n'étoufferez pas facilement cette affaire même si vous vous croyez tout beau tout frisé on dit aussi que socrate était toujours à l'affût d'un jeune homme prometteur d'un côté bigoudis de l'autre gaga c'est qu'ils se défendent le hachis boudin les armes à la main on ne comprend rien au refoulement si l'on prend seulement sa répression idéale en oubliant que le truc sur la table étalé tripé assume la même fonction de muraille ah ne posez pas la question supplient-ils en se branlant fébrilement à tout vent ne posez pas la question n'allumez pas on a promis à maman qu'est-ce qu'on va devenir si l'machin est plus investi va falloir penser merde alors la barbe je trouve aussi qu'on a pas assez réfléchi sur la fille de staline c'est pourtant un morceau d'anthologie elle refuse maintenant de vivre en communauté aux états-unis elle veut pas être la petite fille des peuples bon poursuivons le filet l'éclair le branché partout jeté aux dés croisé entravé au fond c'est assez leibnizien ton truc harmonie sommets par étoiles c'est dans une lettre à fardella le 13 septembre 1666 qu'il emploie monade pour la première fois ça vient de bruno de monade numero et figura qui devient ein kleine in einen punkt begriffen welt il passe par les jésuites pour toucher la chine s'intéresse aux sols au calcul protège la machine à vapeur tandis que spinoza penché sur ses lunettes préférant dignement le vrai au meilleur insoucieux des postes frontières comme du devenir concret ou différencié n'arrive pas à comprendre comment le cercle se fait quand il veut mais quand il veut vraiment hein pas de blagues carré et ainsi de suite dans la substance et la connexion des idées aux choses seulement le bruit des marées nous apprend que l'oubli se trace en dessous des seuils de conscience et à quoi bon se réveiller dans l'éternité ou ailleurs sans avoir intégré sommé décanté l'essaim du passé c'est en 1676 que ces deux-là se rencontrent et nous voyons l'exilé intérieur accueillant dans sa modeste demeure du paviljoensgracht le conseiller de l'électeur de mayence seul le nombre de livres précieux qui remplissent l'armoire de hêtre montre qu'on se trouve là chez un tailleur de verres pas comme les autres le penseur araignée est affaibli par une longue maladie son visage est pâle émacié la main de la mort l'a touché seuls les yeux grands et profonds jettent leur clarté coutumière sur le jeune visiteur qui lui est recommandé à la fois comme diplomate physicien et philosophe par des amis communs et qui a déjà derrière lui de grands succès tandis que son cœur est plein d'ambitieuses espérances de sa voix haute et agréable ce dernier exprime ses critiques contre les lois cartésiennes du mouvement et développe une nouvelle forme de l'argument ontologique n'écoutant pas volontiers les objections car il est obstiné et ne peut supporter qu'on le contredise quant au sage il raconte sa vie comment il a été exclu comment il a voulu lors du dernier assassinat afficher près de l'endroit du meurtre un papier avec ultimi barbarorum enfin il ouvre un tiroir en tire son manuscrit montre pendant un instant sa somme photo pour quelques amateurs à travers les siècles y a pas des moments comme ça tous les jours en navigation n'est-ce pas cet épisode est aussi chargé de sens que l'arrivée à londres chez marx de la tapisserie offerte par engels anecdotes anecdotes c'est vite dit l'histoire n'est rien sans ces détails matériels tout se passe à travers des milliards de petites scènes à bâle même on racontait encore il n'y a pas si longtemps comment nietzsche s'oubliait à improviser un soir son jeu s'échauffe au piano dégénère en accords fantaisistes il se révèle très différent du prof que l'on connaît l'assistance demeure interdite le kapellmeister s'impatiente se vexe tout le monde finit par sortir on le laisse seul il ne se rend compte de rien déjà quasi extatique absorbé dans l'tritos mesos se reprochant de jour en jour plus profondément de n'avoir pas été assez musicien bon c'est vrai ça manque d'une histoire du sujet orchestrant les apparitions hasards de ce genre laissant entendre à travers les moulins d'époque cadres limites préjugés des sciences quoi le son la mélodie l'inflexion coulée dans le ton vertébrés invertébrés rappel du système quel chantier sens dessus dessous quel creuset vietnam où le peuple tient déjà sa réalité sur dix plans dans les souterrains usines champs écoles madrid a été prise hanoi ne le sera pas les sirènes sonnent trois secondes les avions sont là vol bas difficile à suivre au radar les corps sont sveltes aérés durcis par l'épreuve pas de barbes de moustaches résidus de perruques feuilles de vigne poilues le langage subit là sa crise retour différée mondiale voilà je l'ai maintenant décollé d'optique en pupille c'est comme si j'perdais mon verre miroir de contact tu comprends j'bascule en bout sphère un moment j'y vois plus rien quand le paysage tombe réellement de son haut mais rien veut pas dire obscurité aveugle l'issue pressentie tout autre s'infiltre dans le gris l'extérieur en soi fout en l'air le vieil extérieur c'est l'anéantissement quoi le procès coup de fleur avec pollen cœur pétales en dehors du cercle voyons aum a caverne fouillée résonnante noircie dans l'anus katomb katomb cataracte gorge canyon buccin du boxon comme ils sont accroupis pour dire ça du fond des cavernes pas question de peindre sur ces parois hein crochées par gravure grave à son bave baillée en houillée soufflure c'est à réveiller le plus con des morts ça ébranle en vrac l'avant-roc a plus bas encore a plus bas jusqu'à o déchiré harpon en crevasse c'est l'envers d'nos chiottes ce vent d'avant-cu osez donc après ça vous croire assis sur un cu quel boucan d'embouche quel black-out puis u rond en o de colonne après tourbillon cinglé pore en air non non le phallus n'en sera jamais qu'un robinet approximatif c'est plus flouf ici tendu volatil et voilà ça monte naturellement en flamme incolore inodore sans fond sans saveur vous l'entendez oui eh bien dites-moi maintenant combien vous avez d'oreilles si vous êtes pavillon trompe labyrinthe ou plus loin démonté suspendu éléphant noué dénoué sur l'eau oh l'appel intégral massacre allez mon bélier enfonce plus loin cette tête courant limaille espacée trouée et voici tendu comme un i le m désormais muet minuet métal micro démêlé pince-nez brûlé vaporeux du crâne c'est la voûte dépassant la voûte les gouttes rosée pfuitt éparpillement frité dissolvant l'sommet bref circuit forme à fond fond forme rocher mer nuage forêt pluie moussée minéral gaz végétal acier la racine budh veut dire éveiller s'éveiller buddha est un adjectif verbal actif ou passif bouddhisme en français apparaît dans balzac en 1830 en 1842 bouddhique et boud-dhiste avec deux d sont catalogués par l'académie la loi le dharma passe par manu ménès mina minos menw disons par exemple mûla pour racine en faisant la boucle habituelle du genre racine elle est sans racine car elle ne serait pas racine si elle-même avait une racine donc il faut distinguer les productions produc-tives des productions improductives transparence à travers les institutions sens monnaies banques conver-sion indéfinie des valeurs titres coupons bilans chèques dépôts en liquide est-il né ou non celui qui saurait monter l'étalon lingot barre est-il né peut-il s'assigner on appelle sandhyâ l'évanouissement intermédiaire entre le sommeil profond et la mort répété comme sanctus il n'est pas impossible de le faire miroiter un instant en commençant sous la lampe tandis que l'auteur supposé reste couronné invisible dans son lit caché refoulant l'extrait des planètes ça transmet maintenant depuis mars feu vénéneux vénus à effluve allumant l'onctuosité de l'eau mercure sonore séparant les germes écart de teinture surtout chez les femmes tandis que l'homme a tendance à s'ensevelir sous les mots parce qu'il ne sait pas encore laisser les mots enterrer les mots d'où son oubli répété tandis qu'elles restent fascinées par l'écran qui représente le sein dans les rêves qui a dit que l'homme et la femme n'avaient pas les mêmes éternités passons sur la pointe coucou bonsoir grosses fesses quand je plonge ainsi en volume laissant ma matière me déplier sous les bras je me dis qu'au fond les barbelés sociaux les chambres à coucher tout le p'tit train-train c'est pas grave ça n'empêche pas les marées la réflexion des cristaux la pensée au fond quoi le mouvement du trait est celui d'un homme qui se retourne pour regarder derrière lui eh oui c'est ainsi qu'autrefois les tablettes funéraires s'animaient en étant pointées mais tout a pris une autre vitesse regardez quand j'pivote hop ça y va serré la télé premier chapitre catastrophes deuxième chapitre magnétos syncopés troisième chapitre consumation ramassée des bandes quatrième chapitre résumé des découvertes faites pendant le parcours prélèvement faune flore folklore perles des habitants rites croyances salut cyrano salut gulliver tout est affaire de dimensions variables pour vivre heureux vivons montré multiplions les facettes déroutant la pêche à la ligne obligeons-les à cracher l'morceau sur les rapports bien connus langage machine et voilà ils finissent accrochés au clou ils avouent que leur littérature a toujours été privée décorée petits sauts sur place eh puces phalliques chatouillez-nous gentiment nous avons autre chose à dire ici la densité de l'étude qui enserre l'universel dans un cercle continu ne peut pas ne pas embrasser en elle-même en de brèves formules la somme des précisions particulières vois le jour est là filtrant à travers les rideaux vois le perpétuel rayon de poussière ça y est les trois coups frappés sous les pieds il y a une seule chose réellement intéressante en ce monde se réveiller et puis un peu après se réveiller en train de se réveiller pour se réveiller sens ressens on vient là comme une peau plaquée en nature qu'il pleuve ou qu'il fasse beau avec les papillons près de l'eau descendons au jardin il faut que j'écrive un mot sur la saisie générale ma manière de rentrer par la petite porte au fond derrière les feuillages disons d'abord que c'est une question de mémoire ou de projection tu prends à bras-le-corps les modèles tu passes rapidement le premier tour est de saboter gaiement les substances en s'asseyant près du bassin à l'évidence continue où en étais-je ah oui il me semble que cette villa sans mystères est faite pour un magnifique lever de soleil tout d'abord entendons-nous bien sur ce qui est mis sous les sons voici l'anticipation et le composé et la systrophè qui concentre l'enchevêtrement bon alors vous ouvrez le rheuma dans l'energeia mais n'oubliez pas que vous êtes un tombeau ambulant renfermant le rythme malentendu qui risque de faire perdre un temps fou avant de se retrouver mité rapiécé usé jusqu'à l'ombilic qui ne valait pas de rester suspendu sur les conditions du parcours mais ne nous égarons pas donc ne craignez pas d'être insultés par un banc blafard de méduses dont vous critiquez le radeau et de là choc interne palmos en creux d'os vous finirez par rattraper le chronos ici vous sentez voler les mauvaises nouvelles genre le grand pan est mort et autres bobards je n'insiste pas sinon pour vous répéter holà dans l'universel poursuivons cueillons quelques roses ce qui les rend fous ce qui les oblige à nous persécuter c'est évidemment notre thèse sur rien ne naît du non-être puisque leur passion est que tout naisse sans nul autre besoin de semence afin d'extirper la semence inconsciente pour réitérer leur profit derrière notre dos camarades car enfin si la castration du mâle fait tenir le système surmêlé surveillé si jalousement on doit pouvoir inférer que la non-castration du sous-mâle fait sauter leur camp à l'idée que ce qui disparaît ne meurt pas je souligne ils veulent en mordant que les choses soient mortes surtout si ça doit tuer le chanteur à l'idée que le tout a été et sera toujours ce qu'il est ils prêchent n'importe quoi pour noyer le quoi or nous enseignons que la matière doit durer dans sa force après sa dissolution puisque rien ne s'oppose à la pluralité des mondes où je plane par détachement pas étonnant ces idoles qui se forment à la vitesse de la pensée arrivée départ le train rentre en gare et ainsi le mouvement s'oppose à lui-même jusqu'à l'infini ce que tu perçois veut dire coup de frein rivage entends ce crissement inaudible du pneuma dans son en deçà l'âme est souffle et chaleur et souffle en chaleur et chaleur du souffle et soufflerie du souffleur chauffé en râleur c'est pour ça qu'elle jouit et souffre et se vit se meurt en ramassant le sperme des talons au crâne le foutre vient pas du moteur oh ignorants mais de votre tout enflammé transpirant sa pente et c'est pourquoi vous reculez de terreur mais sous notre vision éclairée la terre chevauche l'air nous leur demandons de s'aimer ainsi dans l'coït de tourner rapidement sur elles-mêmes à vrai dire ça n'se fait vraiment bien qu'entre frère et sœur dans le jardin près des sapinettes avec tropisme au soleil près de la glycine couronnée de guêpes vous me donnerez un peu de vin chaud pour finir un vin d'embouchure du côté d'l'océan sableux vallonneux c'est en 1802 qu'hölderlin écrit en voyage dans les régions qui confinent à la vendée j'ai été inté-

ressé par l'élément sauvage guerrier le pur viril à qui
la lumière de la vie est donnée immédiatement dans
les yeux et les membres et qui éprouve le sentiment de
la mort comme une virtuosité où s'assouvit sa soif de
savoir le vent du nord-est se lève de tous les vents mon
préféré et la suite intitulée andenken faisceau transparent avec mer vigne amour poésie fixité va-et-vient de
base amour désigné par regard sans fatigue poésie par
fondation du mélange des eaux sous le ciel c'est ainsi
que certains atomes travaillent dans certaines combinaisons à former au lieu de subir élan vibration lacis
pulsé palpité si les simulacres se formaient moins vite
nous sentirions les phases de leur production s'ils
avaient lieu plus vite nous ne penserions pas or les
plaques qui touchent la sensation n'ont pas d'épaisseur
le tout peut être aussi le flux dont les corpuscules
conservent l'identité en chaque point de l'espace très
naïf très bien note lénine en marge tandis que le
continu n'est que la traduction optique du ralentisse-
ment la difficulté est de prendre la parole dans ce
temps issu de l'illimité pour les éditions on en dénombre
sept avant 1500 à rome venise brescia bologne paris
puis bâle en un sens la lutte philosophique ne fait que
commencer hegel recommande une éducation de la
pensée susceptible de lui conférer un comportement
plastique si platon a remanié sept fois la république
dit-il nous avons nous à y voir de plus près soixante-
dix-sept fois signé à berlin le 7 novembre 1831 il y en
a aujourd'hui disent les camarades chinois qui n'ont
pas encore saisi la dialectique dans la question de la
profondeur des semailles d'autres croient qu'on naît
révolutionnaire alors qu'on ne le devient qu'avec des
efforts conscients plus on craint les contradictions plus
il y en aura plus on cherche à vivre en paix plus il y
aura de troubles l'arbre veut le calme mais le vent n'en

151

continue pas moins de souffler certains camarades tournent toujours autour des conditions matérielles mais attendre que les conditions soient réunies ou les créer voilà ce qui reflète la lutte entre les deux conceptions du monde les deux lignes notre méthode principale est donc d'apprendre à faire la guerre en la faisant sur la page comme sur la route ça roule en ligne droite toutefois la situation change constamment et il y a une lutte continue quand on tient le volant détruire l'ancien créer le nouveau est en réalité un raccourci pour le style dans une contradiction entre excitation et inhibition nous mettrons l'accent sur l'excitation et ainsi de suite chaque problème est concret lié au tout fini infini ici partout ailleurs devant soi hors de soi passion générale où l'œil doit rester ouvert sur le subjectif was ist denken dans ces conditions t'imagines la mutation oui donc génétiquement parlant le patrilinéaire fait place au sondage matrilinéaire on est là tu vois sur le bord du trou manquant touchant deux natures la grande ancienne emmêlée biologique et la seconde poussière culture rapidement déployée si je prends ta main elle descend à la fois du singe et de michel-ange ton oreille est remplie d'oiseaux mais aussi de cent symphonies opéras quatuors messes rumbas peu importe si tu n'en sais rien pour le capital la vie sexuelle des ouvriers est assimilable au nettoyage des machines la production elle-même a pour but la reproduction du producteur dans et avec ses propres conditions objectives d'existence mais voilà l'étau se desserre la crise permet aujourd'hui comme jamais de regarder à travers les volets ça y est le cri est lancé l'humanité des pays surdéveloppés s'aperçoit qu'elle ne respire plus sans problèmes c'est curieux comme marx revient toujours sur ces termes d'entrelacement ramifications chimiques cristaux de travail quel boulot si on veut

tout reprendre pour organiser le peuple où en sommes-
nous avec robespierre le peuple français dit-il froidement semble avoir devancé de deux mille ans le reste
de l'espèce humaine on serait même tenté de le regarder au milieu d'elle comme une espèce différente aïe
oh ne m'fais pas rire c'est pas drôle comprends d'être
cuisiné en sang là-dedans cependant voilà l'étude de
l'histoire est un besoin de la lutte des classes sinon tout
revient en cercle ou icônes bizarrement promenées
dans les rues donc enregistre la période que nous
vivons a un nom bouleversement et même grand bouleversement et même bouleversement sans précédent
sur la boule qui se met en boule d'où boulon boulonner
boulotter chambouler sabouler le camp impérialiste
se disloque la clique révisionniste tend de plus en plus
à se désagréger idem pour les réactionnaires de tous
les pays avec division et regroupement des diverses
formes politiques oui bon c'est bien beau mais quand
même la situation x le cas y d'accord mais pense à
l'ensemble ça ne veut pas dire que la contre-révolution
va s'arrêter d'un coup tout à coup regarde le changement glissement bascule du rapport de forces quand le
système esclavagiste s'effondre en occident qu'est-ce
qu'on a insurrections dans l'empire invasions guerres
chute du composé féodal idem avec luttes entre restauration contre-restauration monarchie république
tout ça normal suivant sa loi objective exemple le
major britannique debout sur sa canonnière croyant
que sur son bateau le soleil ne se couche jamais sans
s'apercevoir qu'il est à sec sur le volcan de la révolution populaire adieu les indes plouf c'est fini et pourtant quelle allure comme si l'asie et l'afrique n'étaient
pas le berceau profond comme si ça allait tout droit
pour toujours depuis le 15e comme si le refoulé cadavre
pillage écrasé pouvait ne pas revenir en plein cœur

tapis tiré sous les pieds salut à votre santé sujets de sa
majesté cétipa qu'votre bonnet à poil se hérisse o
gardes victoria ridée cétipa qu'vous sentez le frisson
des âges mais alors c'est l'chaos mon œil le fil rouge
oui le labyrinthe a pris des dimensions mon petit qui
donneraient le vertige au guerrier grec de jadis casque
scintillant cherchant sa femme aux bras blancs comment mettre ça en forme comment passer de l'a priori
au reflet en feu j'en piétine tu vois dans ma petite
chambre j'en ai mal partout quand me prend cette épi-
lepsie du grec médical epilêpsia proprement attaque
oui ça m'attaque ça me prend squelette à l'envers et
voilà de nouveau j'envoie prom'ner euripide pindare
n'est pourtant pas mal un peu aristo mais voyant bien
les cheveux noirs les robes flottantes la tragédie
remarque aristote est une mimésis non des hommes
mais de l'action c'est ce que j'disais on reste toujours
trop dans l'homme ces cons d'écrivains feraient mieux
de nous décrire en détail ce qu'ils font vraiment du
matin au soir du soir au matin et retour et soyez précis
y en a marre de vos allusions c'est fou un mec plein
d'actions concrètes et de l'autre littérature ondulée
abstraite exotique calligrammes que d'papier perdu
donc on manque un peu de stoa avec colonnades aérez
ouvrez les fenêtres parlez-nous on est pas en faïence or
donc la révolution technique d'eschyle est d'ajouter un
second acteur ce qui souligne une fois encore que la
lutte sous le rapport de la ligne politique commence
toujours par se manifester sur le front idéologique et
culturel comme ici entre parenthèses et ça fait une
sacrée différence crois-moi dans tout l'appareil si nous
soutenons résolument les peuples du mozambique de
l'angola de guinée de zimbabwe et de namibie contre
la domination raciste et colonialiste blanche en comptant à partir de la révolution bourgeoise anglaise de

1640 époque du capitalisme dit libre avec à cheval
étonnants morceaux de surface par exemple purcell
écrivant hail bright cecilia pour le festival de 1692
avec note le journal des gentilshommes de novembre
succès complet particulièrement la seconde stance
chantée avec élégance par l'auteur lui-même 'tis nature
voice thro' all the moving wood and creatures under-
stood the universal tongue to none of all her numerous
race unknown deux hautbois flageolets flûte à bec can-
zona we grieve fugato soul of the world inspired by
thee the jarring seeds of matter did agree thou didst
the scatter'd atoms bind bon dieu ça devait y aller sous
l'autel voyelles aérées rythmées c'est comme dans job
ch 16 versets 1 et 2 l'homme né de la femme a la vie
courte et il est abreuvé d'angoisses comme une fleur il
naît puis on le coupe il fuit comme une ombre et n'a
pas de durée avec expropriations commencement de
l'entassement les enfants aux mines pratique de l'en-
closure de la fin du 15e au début du 19e incendie des
maisons obligation de devenir salarié ce qui va donner
plus loin l'expulsion ou l'extermination des indiens et
ainsi de suite avec effets indirects imprévisibles sur
l'sujet torrent replongé en rêve je vis d'abord écrit ner-
val se dérouler comme un immense tableau mouvant
la généalogie des rois et des empereurs français puis
le trône féodal s'écroula baigné de sang partout en
afrique en asie en europe une vigne immense étendait
ses surgeons autour de la terre les dernières pousses
s'arrêtèrent au pays d'élisabeth de hongrie çà et là
d'immenses ossuaires étaient construits avec les osse-
ments des martyrs je criai longtemps invoquant ma
mère sous tous les noms donnés aux divinités antiques
eh oui toujours le voile d'isis tombant du passé composé bref un lot de chemises la circonvolution plus-
value la madeleine dans la tasse la mémoire myself en

comparaison de notre éventail on n'a pas idée aujour-
d'hui comme il fallait être gonflé pour introduire en
1845 l'idée d'un communisme primitif reposant sur les
liens du sang l'époque était encore à la robinsonnade
au père labible avec moyen âge fumeux invisible engels
l'écrit en 1891 jusqu'en 1860 environ il ne saurait être
question d'une histoire de la famille dans ce domaine
la science historique était encore totalement sous l'influence du pentateuque enfin vint bachofen ce mystique génial curieux tout de même ces percées rapides
de la pensée après méditation millénaire ah encore la
musique toujours toujours toujours in unseen chains it
does the fancy bind écoute comment la basse et le garçon s'envoient en l'air comme des feuilles volant vers
la lyre thrace écoute-les sur flew lui elle en violon
sapin et elle et lui ou ni lui ni elle buis buisson buis-
sonnière chaque arbre brise son silence articule parle
with leafy wings they flew voilà les forêts et par conséquent le langage sauvé sur les branches près de la
rivière avec feu poisson dans la nuit la lutte passe
immédiatement dans la question de savoir si oui ou
non dialectique n'est-ce pas vieille histoire dühring
bernstein and cie encore ce foutu problème d'hegel
pas vu pas connu j'aime sa conclusion de berlin le
22 octobre 1818 règne de la nécessité règne de la
liberté imagine un peu la voix lente pressée doctorale
ce ton neutre qui faisait dire à un étudiant qu'il avait
entendu la mort elle-même parler et flop l'essence tellement fermée de l'univers ne conserve pas de force
capable de résister au courage du connaître celui-ci
l'oblige à se dévoiler à lui révéler ses richesses et ses
profondeurs et à l'en faire jouir on peut pas être plus
clair voilà la frontière du sine qua non au revoir à
bientôt envoie-moi une carte postale y a quatre endroits
où il faut absolument faire l'amour l'etna bomarzo la

villa d'este agrigente si tu peux avoir une photo de la cascade de saturne à ancedonia le truc avec les tourbillons les bulles là où y s'font tous masturber par le courant chaud sulfurique tu captes la grande vib là du centre à matrice avec petits virils appendices le vent tout à coup a changé les nuages le ciel est haut fuit par vagues en suivant le vent au fond les lois de la guerre enseignent l'art de nager dans l'océan de la guerre mao va même jusqu'à évoquer le flot infini de la vérité absolue à dix contre un on encercle à cinq contre un on attaque à deux contre un on se scinde en deux formations à un contre un on peut encore engager le combat inférieur en nombre vaut mieux se tirer en très grande infériorité plus personne il s'agit donc d'épouser étroitement son ennemi comme l'ennemi dans l'épouse et l'épouse dans l'ennemi c'est comme ça que lui-même vous tend la victoire l'un veut l'autre et son autre est autre et tu es seul avec le coucher de soleil travaillé absent en clair pour les masses noir dedans étincelle et clarté dehors sans personne avec moteur tournant dans les traces d'un coup d'aile being super-jet où est la sauvegarde de la vertu dans la dialectique mélangée de musique crois-tu qu'ils verront autre chose d'eux-mêmes et de ceux qui sont à leurs côtés que les ombres qui se peignent devant eux puisqu'ils ont la tête immobile vraiment oui depuis leur naissance c'est le couloir gaine le fourreau rocheux et musclé personne n'en sort mais voient-ils aussi autre chose que les ombres des objets qui passent derrière eux et font dire que le regard glisse non et s'ils pouvaient se parler les uns aux autres ne donneraient-ils pas aux ombres les noms des choses mêmes pauvres mots pauvres choses dès lors que les enveloppe ce linceul et s'il y a dans la prison un écho qui répète les appels des passants ne vont-ils pas imaginer entendre parler les ombres mêmes qui

passent devant oui oui tu l'as dit le cinéma république
essaye de les faire sortir de la salle tu verras l'travail ce
qui est ennuyeux murmure un copain c'est qu'ils se
sentent pas enfermés ils ressentent pas l'internement
quoi ça leur paraît naturel et si on les contraint à
regarder le feu ils ont mal aux yeux et si tu les traînes
en haut de la côte furieux ils te crachent plutôt dans les
yeux voilà pourquoi on ne peut pas les traiter un à un
et encore moins allongés les uns les autres dans le style
viennois d'autrefois t'es obligé d'employer la persua-
sion dans le courant les écarts du peuple sa perforante
portée en montée pour sûr nous en sommes encore à
la séparation mais un jour l'orgue le ballet éclateront
dans l'contexte la lecture est peut-être une pratique
désespérée mais la matière a tout à faire à partir du
rien délié non les lettres n'ont pas été rassemblées par
le miracle de l'infini quelle blague non il ne s'agit
pas d'un zodiaque l'espace n'est plus vacant il y a un
remous éruptif multiple élargissement de l'obscur position des scintillations mais attention à ne pas sentir le
lustre le réverbère le crochet on remarquera plus simplement que de l'harmonie au chant se pose la question des masses rapports de production et sujet ce
dernier étant quand même autorisé à élever la voix
pour se moduler c'est son droit aboli biberon d'insa-
nité pécore en conséquence on évitera de parler d'instinct de ciel de flatter l'espoir d'une nouvelle religion
et autres performances de la fatigue genre dimanche
protestant je propose pourtant de garder l'hymne avec
trompette intimant l'allégresse de n'émettre aucun nom
solennelle fin des majuscules rideau de l'ex machina le
reste aux poubelles y compris l'explication orphique
devenant lingot c'est connu glissons donc dès notre
arrivée à athènes voilà que sur l'agora on rencontre
adimante et glaucon et adimante me prenant la main

de sa main s'écrie bienvenue céphale et moi illico comment s'appelait le mec dont le père s'appelait pyrilampès antiphon voyons ah oui il paraît que cet antiphon a bien connu un certain pythodore compagnon de zénon et qu'il a souvent assisté à l'émission socrate parménide c'est bien vrai dit-il avec son accent du midi c'est bien vrai tu ne t'écartes pas de la vérité tu la frôles oui tu es sur son bord l'ami donc les dissemblables être semblables ou les semblables dissemblables ni l'un ni l'autre ne se peut et ainsi de suite il suffit d'avancer les temps voulaient ça la raison d'être du topo c'est donc machin qui connaissait truc qui l'a répété à machin et où pourquoi avec qui sans qui où personne du qui du quoi du comment du du bref impossible d'y aller sur ce ton sans présupposition de l'état ces deux frères sont inséparables de vrais jumeaux castor et pollux les deux lignes la droite et la gauche voici la binère allons pourquoi minerve toujours avec chouette pourquoi pas mouette blanche posée sur le sel ça manque un peu d'océan par ici ça sent un peu trop la sieste on a quand même envie d'y introduire la lune les marées ça a dû les influencer ce côté stagnant on en oublierait facilement le flux menstruel leur courant devient monogène à l'image d'une mer sous-marine pour pêcheurs d'éponges transparence feu vert ciel brûlant miroir mais nous sommes loin maintenant après l'atlantique ou le pacifique après l'indien et les îles et il y a ce moment où melville écrit white jacket en pensant à sa démocratie impossible chapitre sur la façon de faire paraître des poèmes sur un bateau de combat chant des sirènes signé virgile le public le peuple je suis d'accord détestons l'un et unissons-nous à l'autre ce n'est pas de lecture qu'il s'agit mais du mouvement appelé jadis le destin non les grands hommes ne font pas l'histoire mais les vagues la force habitée d'esclaves sondant le matin cependant les masses ne font pas d'elles-mêmes le temps ni l'espace et comment dire et pourquoi l'humanité est ainsi semée parmi l'animal de façon à ne pas finir en croque-mort de l'esprit mimique avec petit tablier soubrette calmée du sacré non la flamme demeure grandit courbe sous les crachats mais ne cesse pas et quand hölderlin dit l'esprit de nuit celui qui porte au ciel la tempête a couvert notre pays du bavardage dans une pluie de langages sans poésie et jusqu'à cette heure il n'a cessé de rouler cette ordure pourtant vient ce que je veux eh bien aussi vrai qu'il n'y a pas deux états jouissant dans le même état je veux ce qu'il veut et le veut sans mots ouvert au rasoir dans l'écorce écho l'aventure n'a pas encore commencé et nous sommes là oui c'est bizarre fleuris de comètes voudrais-je en être une oui parce qu'elles ont la rapidité de l'oiseau et bientôt nous serons un chant mais l'image du temps quand l'esprit infini la déploie est dressée devant nous signe que entre lui et d'autres est un lien entre lui et d'autres puissances ou encore les éléments et les vieilles lois de la terre et toujours dans l'étendue sans frein va un souhait ou encore nous laisser bercer comme dans un oscillant canot de la mer ou encore la neige comme le muguet de mai indice où qu'elle soit brille sur les prairies vertes ou encore lorsque le bleu s'efface le simple bleu surgit in lieblicher blaue ou encore comme la vapeur ardente qui brûle au-dessus des villes le soleil va au-dessus des murs suspendus de la pluie ou encore la nuit fait jaillir des étincelles de la pierre aiguë du jour et au crépuscule encore une harpe frémit vers la mer fuse l'éclat de la chasse ou encore l'égyptienne la gorge nue s'est assise sans cesser de chanter rendue dans la forêt près du feu ou encore des garçons jouent habitués à une vie fraîche comme la perle ou encore les coursiers ombrageux trempés de sueur ou encore les portes mêmes venant de la nature gardent l'image des arbres et les images sont parfois si simples qu'on a réellement peur de les écrire existe-t-il une mesure non les mondes ne suspendent pas le cours du tonnerre joli ruisseau tu nous touches quand tu roules clair comme l'œil dans la voie lactée ainsi de nouveau chaque instant tiré comme une flèche du fond de l'obscur il suffit d'un flocon pour fausser la cloche quand tu dors dit-elle tu caresses ton bras levé ta tête tu as dû traverser le coma du côté où le soleil plante et voilà on descend l'air siffle il y a un cheval blanc dans les jardins et alors il s'est arrêté et m'a donné son manteau je n'en revenais pas c'est la chance rien à voir avec l'illusion c'est le tourbillon pas besoin d'insister pour faire croire à une pensée en deçà nerveux non-pensé lisez-moi lentement s'agit pas d'une crise on est dans le miel en réalité ce qui reste ici est toujours enfantin chute libre la difficulté est justement d'accepter que la mère soit cette lente oh si lentement cassée de l'espèce qu'elle soit aveugle quoi voilà le secret qu'elle soit cette lente chute aveugle et putain malgré l'appétit support mais n'espérez pas le voir sans vous défoncer n'espérez pas voir cette lente leçon lente si lente puisque je suis le strobos lui-même ça vous fait cligner des paupières suis-je un homme ou une femme se demande-t-elle et lui suis-je né ou pas né et elle je pourrais être un homme si tu n'es pas né rejoue-moi un peu la naissance que je sois une femme et meurs que je sois mon homme en circuit fermé c'est pourquoi seul un parano refoulé peut confondre à ce point le schizo avec l'hystérique cependant elle dit la vérité et pas lui sauf s'il la baise sans le lui dire au nom du sans nom vloufvloufm de dos face écrasant d'un coup le fils père de telle façon qu'elle ait tout en une seconde le mort la mère et la fille en lui ah c'est l'épineuse question qu'est-ce que vous voulez la très épineuse où pâlit l'enfant phénomène pas croyable à quel point le test est sévère tu comprends c'est pas non serviam qu'il a dit mais non gaudiam j'veux pas jouir na en tapant du pied pour garder son pied pantouflé c'est d'ailleurs pourquoi elles ont la religion ancrée du trucmuche communauté oubliée des femmes découpant le tout fol usage avant bel échange nuit des temps effacée du temps palier du saltus in natura lumpen prorata aidons-les à faire sortir cet abcès il couve la société actuelle bien loin d'être un cristal solide est un organisme susceptible de changement toujours en voie de transformation comme notre corps mon ange viens ici viens encore une fois me montrer ta peau sous la peau tu sais à quel point j'aime que tu sois nue sous ta robe tu n'as pas de slip fais voir bien essaye de te promener comme ça ouverte toute la journée note ce qui vient raconte montre-moi déploie-le pour moi viens me l'exposer gluant ou rempli de foutre tu sais qu'tu peux en décharger légèrement ainsi des dizaines sans te fatiguer pour faire le tour en détour l'intérêt produit par le vagin a une origine érotico-anale récapitulons oral nourrisson sans dents anal dentition des muscles destruction socialisation passage au phallique défenseur dragon d'la grotte à terreurs œil-de-bœuf en trappe laisse un peu la fenêtre ouverte ne baisse pas trop l'abat-jour dehors il fait beau par principe j'apprends à nager dans vos sourds goulets oui il faut passer dans ma barque faut bien qu'un canot fasse l'expérience le plus difficile c'est ce tropique ranci dans le capricorne chaudière marmite salée du moulé en définitive le père primordial était simplement une grande folle et freud a raison de rappeler que les mecs en exil font reposer leur organisation sur des sentiments mutuels ils renoncent à l'usage des femmes libérées ça leur fout la chiasse ils revoient en rêve ce père égorgé lequel n'est rien d'autre que maman tuyautée plombée quel cirque on y revient toujours pèlerins discours pas voir le rôle de mémé dans la constitution de la voûte aigrie des horreurs c'est quand même grave tu les lances sur de fausses pistes ils tuent pour le compte de leur matrice à gésier ça fait fiel partout dans leur sang plein d'bile quant à moi ça y est j'ai appris à regarder le négatif c'est maintenant mon séjour magique qui me transforme en être et ainsi ma méthode ne diffère pas de son objet et de son contenu puisque c'est le contenu lui-même la dialectique qu'il a en lui-même qui le fait progresser mais si je comprends bien ils s'intéressent pas tellement au contenu pas vrai ça les freine alors petits aperçus formes sacrées fillettes trifouillant leur art le passage de la production de l'instrument à la production de l'outil implique la constitution de la phrase imagine un peu le topo si on entre dans la nécessité liberté quel jeu des pentes j'en rêve parfois dans la perspective je me mets à courir à voler gratuit sous la pluie bien sûr qu'à la fin les tissus sont usés la muqueuse altérée brûlée mais tant que l'espace et les pulsions ou le vide animé te poussent vas-y laisse-toi fleurir recommence efface ton ressors-toi d'là quand une lumière vient te frapper l'œil ce n'est pas une excitation pulsionnelle en revanche oui quand la muqueuse desséchée du pharynx se fait sentir tu n'y comprends rien si tu fais d'la pulse un impact momentané c'est constant on peut pas la fuir faut dire qu'ça fait un drôle de cheval ce sujet au pas au trot au galop devant toi derrière toi sous toi et sur toi avancée recul englouti nageur travailleur glandeur et rêveur et toucheur menteur et chercheur et parleur pilleur pleureur écouteur fuyeur et chômeur et tourneur mineur voyeur

majeur et serveur et lourdeur bardeur buveur bou-
chonneur et centreur cogneur cireur enculeur barreur
et noteur farceur et fouilleur t'entends l'ancêtre qui
fait craquer son cercueil l'embrasseur pipeur géniteur
l'oublieur sauveur bousilleur et saqueur tangueur dépis-
teur tout de même c'était un vache de sang aimanté
chaud vif qui lui faisait veine avant bonze curé ou pas-
teur bonsoir paplasma ça va ça boume ho le compteur
il est couché sous terre attendant l'aurore et alors il
viendra dans toute sa gloire et si on vous dit il est là ou
là n'y allez pas l'épisode insiste sur la multiplication
des imitations attendez plutôt la transparence dans
le corps social puits intime répandu montant où vous
êtes en attendant roule-m'en une sacré joint d'attila là
où il passe on ne repousse pas exit le ronron d'ego
démontable exit mécano photo mise en trop c'est le
moment où j'ouvre carrément les vannes du méro-
vingien venna pour la pêche peut-être d'origine celte
s'agissant toujours des poissons et alors elle m'a
regardé et on a eu la transe hélices hors des siècles
avec relief initiales oubliées dans l'écorce ailée des pla-
tanes bruit des chalumeaux sapins pleins d'oiseaux
descente vers les villes au petit matin unité multiplicité
vent feuilles rivières bref le sourire eh oh qu'en pense
zéroastre zérotousfra pigeons dans la gorge cri des
coqs amandes le pic du renvoi bois creux trompe
coquillage raga des sagas descente ascenseur bouddhisme à islam autrement dit d'la montagne aux plaines
c'est comme ça qu'j'ai eu d'abord un bonnet rouge le
sens des grimaces et après un burnous flottant dans
le bleu et blanc elle dit que maintenant elle se déplace
partout sans couleurs que c'est plus le même air sec
fébrile elle se plaint de l'humidité à un moment je me
suis aperçu qu'elle pleurait vraiment pendant que je
tenais sec le pont du virage le jeté clivé saxe à la pointe

effet bref on soulevait partout la poussière et j'avais effacé la balançoire le bout de l'allée tel soir tel ensemble bruni dans l'odeur et puis elle est devenue rose au bord de l'eau vibratile pétales avec traînée rosée approbation de la nuit unité désunie unie dans l'unique et multipliée en multiple je retiens un et j'ajoute un divisé par un ça fait un la rose devait venir d'un poème du diable si je me souviens lequel de toute façon voilà la glissade l'étrave et le flot chassé oh ma neige araignée ma crème glacée j'avais aussi oublié cet évanouissement à demi simulé sur le tapis au mois d'août à combien sept huit ans j'voulais aller au cinéma et elle voulait pas le vent chaud était au plafond sous le magnolia donc on peut garder en vrac la nature s'en brûler la grosseur de l'ongle on a le panorama il y a aussi cette espèce de tir si la fille accepte d'être le cerceau tambour à craquer là je t'avertis tu frôles la carambolie l'homicide si tu t'envoies au loin sois le shoot dans la foulée sois la houle attention contact homme manie pas d'mais homme ou alors plus rien autrement dit quand c'est shlick c'est shlick la pensée a ici beaucoup à apprendre c'est pas croyable cette chose en soi ce moisi cracra oui le chimisme est bien le rapport de différence de l'objectivité quand on le fait tomber sous le sens tout y est donc il faut recommencer depuis le début aussi naïvement d'habitude comme si on n'avait rien appris de l'expérience précédente mais à un degré plus élevé en route pour la profondeur c'est-à-dire l'étendue suppression de la profondeur voilà pour notre intérieur j'ai pas dit qu'c'était pas dang'reux pour les mouches mais l'intérêt est de donner à la trace tout son relief biseauté enfoui vous n'irez pas loin avec votre conscience cette revendication religieuse peut amener une refonte philosophique rationnelle et alors gare aux prochaines applications gare à la charrette est-ce que je suis par exemple au huitième siècle style wang wei l'essentiel est de cacher l'univers dans l'univers après on verra je lis son poème villa au pied du mont chung-nan milieu de la vie musique dernières années je fais ma maison sur la colline du sud une pulsion souvent m'entraîne je suis seul à connaître un certain nombre d'images en marchant vers la source assis sous les nuages flottant parfois je rencontre un vieux dans les bois nous rions en parlant de la connaissance du non-retour en un sens tout est de moins en moins compliqué par moments on se demande si c'est pas gâteux entre vie et mort et matin sans mort déclinée coulante donc la vérité est trop positive pour ne pas éclater en petits morceaux foncés négatifs garde la rotation johnny ne supprime pas un registre laisse-les s'enclencher pour te délivrer ta vie deviendra une belle souple machine et tu pourras même te payer le super-luxe d'oublier qu't'y es ah le papaver somniferum papaver en rouge philosophorum le coquelicot mesdames the bloody peacock j'aime entendre une phrase comme la frégate mouille dans la baie de rio en général elles me traitent plutôt de sale gosse ça m'rappelle cette fille qui me tenait la main pendant qu'une autre me tringlait sur moi langoureuse avec des contractions inédites haletantes à un moment je veux passer sur elle et elle commence par dire ah non j'aime pas les restes la promiscuité j'ai horreur de ça bref l'intimidation comme elle a entendu sa mère deux minutes après allez donc pistonnant dressée dépoitrant les seins la nuque en arrière la main par-devant le méchant paquet quoi recommandé en silence et après bien sûr de nouveau pincée mais plus gaie gnagnana gnanana topo sur le mec le fiancé le mari le frère le cousin l'ami les enfants le patron le chef de service la plus emmerdante étant celle qui croit qu'elle va

166

vous conseiller vous orienter et comment pourrait-il en
être autrement si le vagin continue à recueillir l'héri-
tage du sein maternel à la grande roue foire des inva-
lides la fille glisse le long d'une équation symbolique
elle a des angines pour un oui ou non il est minuit cen-
drillon attention ça va faire citrouille freud écrit que
l'amour homosexuel s'accommode plus facilement des
liens collectifs même là où il apparaît comme une tendance sexuelle non entravée fait remarquable dont
l'explication nous entraînerait trop loin en effet imaginez les conséquences tirées de cette proposition une
des plus vraies qui soient jamais sorties du pressen-
timent sous ce ciel brouillé salut cependant à ceux
qui sont seuls et jamais les mêmes sens des fenêtres
ouvertes de l'oubli lâché maintenant je suis perdu je ne
sais vraiment plus où ni comment pourquoi ces murs
ce métro ce froid de quelle façon voulez-vous penser
en usine avec le bruit le rongeur nerveux et pourtant il
faut garder le survol en réalité nous sommes à une
époque où les différentes plaques de la croûte terrestre
peuvent basculer d'un côté ou de l'autre vous avez
remarqué cette redistribution des camps pour comprendre la base enveloppée des rapports vous n'allez
pas isoler la fourmi lui demander où elle souffre ou
jouit non vous cadrez d'abord le bateau global quant à
toi segui il tuo corso e laccia dir le genti c'est toujours
la même chose à bafouille alors après la défonce elle
trouve ce passage de l'odyssée où ils passent les courants de l'océan et le rocher blanc au-delà des grilles
du soleil et du champ des rêves et voici qu'ils arrivent
sur le champ d'asphodèles où les âmes vivent les simulacres des morts and soon they came to the meadow of
asphodels j'aime ce mot meadow shantih shantih let's
go tu comprends elle dit j'allais près de la rivière il faut
voir comme ils sont gentils jeunes purs avec leurs che-

veux longs on faisait un tour en barque pour le repérage on parlait un peu et puis hop sur l'herbe il y a des endroits écartés l'un d'eux jouait d'l'harmonica là on se rapproche et ça va ils sont doux frais désarmés c'est curieux si jeunes avec des queues aussi grosses nettes gonflées sans prépuce à peine on les touche ils se tordent la tête en arrière ils gémissent ils disent que c'est mieux que le lsd moi je leur caressais les cheveux ils embrassent branlent moulement dessous la culotte l'un d'eux ne croyait plus pouvoir rebander à un moment évidemment ils n'y tiennent plus ils veulent pénétrer ils soufflent ils sont fous ils voulaient m'emmener chez eux moi j'avais joui entre-temps des fesses en serrant les cuisses je leur donnais rendez-vous pour le lendemain même heure même endroit et mon œil j'allais me caresser dans ma chambre qu'est-ce qu'ils sont émouvants tout tremblants tressautants tripés garçons filles j'avais quand même un peu peur qu'ils soient malades on ne sait jamais qu'est-ce qu'ils sont chéris si on tient leurs rênes museau naseaux regard en ciseaux c'est là qu'tu sens la puissance quand l'serpent chaud muqueux devient sa sonnette et vibre enthousiasmé rougeoyant suppliant piteux fous fous je te dis complètement fous délirants dingues comme ça dehors avec l'eau les feuilles le vent inutile d'ajouter que j'étais excitée 24 sur 24 alors le mec rentre dans la cabine quand j'faisais semblant de dormir et allonge j'peux faire un bisou et moi pas répondre et lui par-ci par-là puis d'un coup la bête à plat ventre m'étouffant ce con et moi ah bon il fallait le dire et shlark j'enlève mon jeans le gars éjacule presque immédiatement sur le bord au fond je l'ai libéré ce type and so on ou encore comme dit jimmie etceterogène c'est pourquoi nous les femmes on connaît en rond la chanson mes rapports avec les filles m'ont plutôt fait du bien j'ai plus la même rivalité avec elles on y va de temps en temps quand ça s'présente en général elles en veulent davantage ça leur reste un peu fermé de l'autre côté en réalité on pourrait tracer une ligne entre les pays gens du nord tout d'suite les plats de résistance au sud c'est autre chose les chiens étaient à moi jusqu'à la chasse et après fini ma première expérience remonte à un foulard de soie autour des seins les chats aiment ça ils s'y mettent ils te sucent le bout évidemment c'est un peu impersonnel ce passage en masse par l'animal bref on en revient au soleil à la chaleur qui fait bouillir la myriade pas étonnant si la répression s'implante mieux dans le coin on pourrait développer tout ça varier les exemples histoire de causer un poil en sujets n'empêche que ça va pas d'soi la première personne peut-être parce qu'y en a trop tout le temps et du coup pas de décalage en reprise boule de gomme quand t'essayes de le refléter le narcissisme est décidément la méga-question cela dit on n'vit pas comme il faudrait vivre tu comprends miasmes aigreurs chuchotis membrane du moi seul avec ses rougeurs où aller que faire comment s'en tirer voyager pas d'argent rééducation travail manuel trop long exemples de régressions alentour idéal généreux vérité concrète mais si les conditions objectives sont pas réunies pas la peine de sonner les cloches ça n'existe pas la potion révolution en revanche le moment est bon pour décaper la roulette écart des cinq sens plus un ou deux encore mal sentis jusqu'ici ce serait p't'être le tournant où pousser un peu l'obsession non enfin l'inédit réserve l'ébullition en conserve y a plein d'trucs qui pourrissent sur leur propre ligne si personne fait le travail perception la réalité aura bien le droit de vous faire la tête voici notre bulletin d'informations france année moins deux mille la femme du premier ministre en exercice a fait

visiter aux journalistes le jardin de sa propriété elle
leur a montré ses nouvelles installations son verger
modèle le président a visité l'exposition d'art abstrait il
a insisté sur la pureté du peintre qui a eu au moins le
courage de se suicider ce que tout artiste honnête
devrait faire pour combattre la pollution il a répondu
par un vol en hélicoptère sur la côte disant nous en
reparlerons la prostitution doit être en effet légèrement plus éloignée des grands axes routiers le danger
est de mélanger les routiers avec les députés de la majo-
rité certains officiers de police n'avaient pas compris
cette précaution élémentaire malgré l'installation de
leurs appartements grand confort dépassant de loin
leurs émoluments mensuels pureté pureté messieurs je
n'ai rien à ajouter cultivez-vous et que chante la france
chaque petit écran doit être une fenêtre cadenassée sur
notre ouverture au centre ma devise est simple fluctuat
nec merditur faut quand même convenir que le général était devenu gâteux avec ce projet de replanter des
croix quatre branches dans les cimetières il voulait
installer une lorraine en tombeau faire peindre sur
les autoroutes la ligne bleue des vosges on a quand
même réussi à les fixer un peu sur cette question des
massacres circulatoires pendant les week-ends cette
angoisse désormais permanente en voiture devrait les
amener à voter pour nous le sport ah le sport le latin
ah le latin les prisons ah les prisons le nouveau roman
ah le nouveau roman la musique ah oui la musique et
les logements la santé publique que voulez-vous nous
ne sommes pas aidés par les temps qui courent cependant comme le remarque finement un commentateur
les chefs de l'opposition n'ont plus aujourd'hui ce pouvoir magnétique ou charismatique que font nos écrivains quelques miettes il y a une crise de la création
vous ne pensez pas nous sommes en revanche dans

une grande époque de critique vous avez lu le dernier
livre du petit machin non et vous le figaro dit que c'est
du san-antonio maoïste du mécano-porno sans profil
un vrai pot de merde contestation anti-bourgeoise gen-
tillette naïve et même sotte du maoïsme comme on ne
l'accepterait pas en chine des jeux de mots pourtant
de la verve un retour au réalisme dangereux ça j'espère que les universitaires trouvent ça vulgaire qu'ils
ne suivent pas comment il est ce type un grand garçon
aimable subtil presque souriant d'un commerce exquis
où l'on perçoit à peine des nuances d'ironie un peu
timide avec ça directeur de conscience bagarreur tout
de rage intellectuel qui procède par exclusives vio-
lentes depuis peu il assume un troisième rôle chef des
brigades de l'intelligentsia maoïste il abreuve la société
de consommation et la cinquième république d'insultes
et de menaces dont on peut d'ailleurs se demander si
elles ne sont pas les inutiles impatiences d'une âme élé-
giaque soudain saisie par le prurit d'un pouvoir impossible à atteindre mais enfin il lui manque la flamme
véritable c'est des taquineries des extases forcées un
splendide tempérament qui écrase des pensées dou-
teuses d'ailleurs il paraît que l'ensemble du livre est la
description très croustillante d'une gigantesque mêlée
sexuelle d'accouplements sans nombre de caresses au
catalogue complet pas possible non mais il y a intérêt
à le dire en ajoutant aussitôt que de ce point de vue ça
n'arrive pas à la cheville de x ou y bien joué de sorte
que toute sa philosophie et toute sa croisade finissent
par disparaître sous son orgie physique comme sous
son orgie logomachique et moralité l'avant-garde va
au bordel et le peuple n'a qu'à bien s'amuser entre
deux draps comme ça plaf aucune influence mais est-
ce que c'est vraiment enterré franchement je crois
d'autant plus qu'on peut agir sur son entourage vous

avez sa fiche de baisage voilà oh oh mais c'est un peu forêt vierge et les copains y a fort à parier qu'ils doivent le trouver un peu lourd allez-y alors on ne doit pas négliger ce terrain en ce sens n'est-ce pas nous sommes aussi maoïstes eh eh bon reprenons les dossiers alors ce fetich'club vous pourriez tout de même dire à la mondaine d'être plus discrète en pleine période électorale que disent les filles qu'elles veulent plus faire de doublés pour leurs mecs que c'est une très mauvaise affaire la deuxième fois ils mettent une éternité à y arriver quand on fait ça pour du fric c'est aussi quelquefois notre personnalité qu'ils aiment par exemple des types qui donnent simplement cent francs rien que pour parler les psychanalystes ça leur rapporte idem d'écouter je vais peut-être me lancer là-dedans de nos jours ce à quoi la psychologie sert réellement c'est à nous maintenir dans nos petites cages d'ailleurs ce parallèle entre l'analyse et la prostitution je ne me privais pas d'en parler pendant les séances c'était marrant le pied pour lui et pour moi avec cette différence que l'analyste vend un service qui loin de le souiller fait de lui un homme distingué respecté le système dit ceci les femmes qui couchent avec des hommes pour de l'argent qui vendent leur corps parce que c'est la meilleure la seule marchandise qu'elles possèdent commettent un crime sans victimes mais nous allons quand même le leur faire payer on ne trouve pas dans le code pénal d'autre délit accompli à deux par accord mutuel mais pour lequel un des deux partenaires seulement la femme soit passible d'une arrestation mais il y a un système de troc entre les femmes et les flics dans l'enceinte du tribunal le spectacle est ahurissant les filles n'arrêtent pas de flirter en entrant en sortant avec les poulets comme avec le personnel administratif tu comprends c'est pas l'héroïne qui te fera arrêter c'est les choses que tu dois faire pour t'en procurer elle fait pas de mal elle provoque pas de dégâts physiques mais quand on se pique on va pas chez le dentiste ni chez le docteur si tu as assez de fric pour te garder en forme alors tu peux être tout l'temps dans les vapes sans rien sentir ni savoir l'hystérique dit-elle la vérité oui mais seulement la vérité de l'anti-vérité l'ennui c'est qu'y en a qui restent babas devant ce vrai du non-vrai et pour le vrai du vrai du non-vrai bonsoir plus personne c'est intéressant cette hypothèse chimique en commun chez la femme enceinte le schizo le mourant visible en urine tu saisis le raccourci et remarque la pente des conclusions toujours rabattues sur l'enceinte comme si le postulat de la science était au commencement était l'engrossée au fond tout savant défend fermement sa maman relève du curé qui faisait plaisir à mémé en restant en robe de même que l'truand version sicilienne la mamma la mamma du grand gros papa le meilleur reporter à mon avis c'est giotto le coup du sermon aux oiseaux pour le reste quand l'interdiction chez la femme et la dévalorisation chez l'homme se rencontrent pour fonder l'oscillation dévalo-survalo t'as des investissements increvables fonciers acharnés sacrés mister totem misses tabou le dessert en stabat mater d'où sort la grosse voix où se terre-t-elle s'ils sont menacés de la découverte de la mère châtrée ils réagissent comme une société en panique défendant le trône et l'autel ce qu'il faut dire aux filles c'est vous n'êtes pas châtrée mais votre mère oui et encore pas du tout votre mère réelle on veut pas être méchant avec elle le concept de con ne mouille pas et précisément si le con est traité de con comme n'importe quoi c'est faute d'avoir trouvé son concept qui le mette non pas en qui mais en quoi donc je parle ici d'un espace tordu qui s'exclut moitié de lui-même le corps du père primitif est en partie double et papa n'y voit finalement que d'un œil cependant ouvert effort méritoire donc je résume mère à droite père à gauche et la droite fait tuer la gauche et la droite obtient le bout de la gauche qu'elle cache sous sa p'tite jupette ce qui engendre la ponte indéfinie de l'exclu du tiers alors quoi ce s'rait une hélice coupant sa mini-spirale avec effet d'illusion active et rétroactive en tranche passive en défense hâtive enfin nom de dieu qu'est-ce que c'est cette histoire d'un homme qu'aurait toutes les femmes sinon un fantasme de femme tu l'as dit dupont c'est même pourquoi une fois le coup fait ça n'arrange rien les types entre eux avec droit maman sont obligés d'introduire le vieux sublimé à partir de là c'est tout droit jusqu'en ville remarque le rôle attribué là-dedans au poète épique censé avouer prendre sur lui le meurtre et si c'était œdipe qui s'était pendu et jocaste aveugle avec antigone ah ah jocaste se perd en colonne eh oh ça fonctionne à tube d'où les belles expressions malheureusement non sondées je me demande combien ça va durer ce marmot viscéral frisson lézardé du fils eh oui excès homo feinté dans le médullaire vas-y roule-m'en une je me sens partir donc en général il faut demander aux filles si elles ont rêvé qu'elles faisaient l'amour avec leur mère j'en revois une disant aussitôt mais bien sûr et le mari épaté mais tu m'avais jamais raconté et elle grand geste vous sentez passer l'effroi des foyers concession caveau de famille formule au carré pierreux runminé croisements alliances bataclan osseux du sanglant allume ça me fait penser que pour la première fois j'ai eu ma mère en rêve très découpée nette aguichante au bord de la plage en décolleté largement échancré omoplate épaule veloutée dodue ne pas oublier qu'au nigeria cette année encore des sacrifices ont eu lieu partout les gens sont arrêtés avec leurs sacs de membres découpés frais un garçon convenablement nourri de dix à douze ans coûte environ 700 livres pendant que les tortues pleurent pendant la ponte les oiseaux attendent l'éclosion des œufs on doit les immerger de nuit faut dire qu'on est sous l'coup du gros méchant loup je résume il y a des choses et autre chose et l'autre chose peut tomber en chose ou encore devenir de plus en plus autre chose mais on n'a jamais vu une chose devenir vraiment autre chose voilà c'est autre chose c'est tout bref nom de nom de nom cassez-moi l'transfert flaskback antério poster maître dit-il je voudrais me libérer le maître fit khât en le cognant sec l'autre n'est pas revenu on le voit encore léviter au portail sud-est débandant plus d'un millième de millionième dressé là planté en dolmenherreur ah on perd pas l'nord dans l'sud dit le voyageur la vérité est qu'entre les phrases tourbillonnent des milliers de pensées qui vont se fixer dans le dérapage exact du contour c'est pourquoi vous pouvez lire si vous voulez les mains dans la tête truc rapidement rappelé dans la tonte des prêtres voire le trou funèbre en crâneur voyons ici un peu de stimulant hépato-biliaire cholérétique cholagogue colorants tartrazine + bleu patenté l'ensemble n'est d'ailleurs pas sans rapport avec la position des adverbes en chinois feng zhi fan xiang wang sha kong niao zi fei bon les pics se dressent les voiles se défient mutuellement la plage est vide les oiseaux volent librement une fois de plus parallèle rigoureux des ailes ce qui différencie ce style d'avec le document clinique au sens strict c'est l'absence d'engorgements liés non liés l'ouverture n'ayant pas à se dessiner id est la représentation de choses innervée plutôt qu'énervée nervée narrée dans l'inerte c'est-à-dire innée deux fois née jamais surannée faut quand même dire la vérité à savoir que

l'schizo est aussi réac qu'un autre genre jung apologie
de la vie prêcheuse moi moi moi mes amis et moi et
moi moi dans le nirvana tout ça peut-être bien finir
dans un numéro spécial métaphysique des cadres tibet
de votre employeur une fois de plus oubli du visage
obscur dégradé coupé en abîme et si je dis que ça
pousse noir dans l'œil assoiffé prison du bleu en
rumeur si je dis voilà ma cellule d'être éclatant fibrée
sous le mur sans me plaindre posté au soleil on risque
de ne pas m'entendre il y a un siècle ça pouvait avoir
cette forme colonne de saphir d'arabesques brodées
reparais les ramiers pleurent cherchant leur nid et de
ton pied d'azur à ton front de granit se déroule à longs
plis la pourpre de judée si tu vois bénarès sur son
fleuve accoudée prends ton arc et revêts ton corset
d'or bruni car voici le vautour volant sur patani et de
papillons blancs la mer est inondée mahdéwa lanassa
fais flotter ton voile sur les eaux livre tes fleurs de
pourpre au courant des ruisseaux la neige du cathay
tombe sur l'atlantique etc remarque les papillons
blancs je ne sais pas ça me paraît important le ténébreux le veuf l'inconsolé le prince d'aquitaine à la tour
abolie attends oui on allait jouer près de la tour blanc et
rose en ruine lierre écroulée dans l'herbe je revois les
vitraux du château gothique le parc du prince noir au
milieu des vignes sous les acacias curieux cette idée
d'mon père d'avoir mis des orangers citronniers palmiers magnolias comme ça au bord de l'océan sableux
dans l'entre-deux mers peut-être pour cacher l'usine
ronflante au-delà du bois de bambous d'où sortaient
les rats peut-être pour servir de corolle à la cheminée
fumante étouffer les cris des ouvriers le bruit des fours
cuves fraiseuses presses tours chaînes chariots pisto-
lets marteaux une idée poétique en somme bourgeoisie
rêvant dans l'acide les doigts coupés les rires les san-

glots et les femmes près des serres allongées de l'autre
côté des vestiaires prolétariens sans doute excitées
oisives par les voix suantes derniers jours de l'empire
gaspillage de sommeil on prend le café sur fond de
machines à l'ombre des jeunes filles en fleurs le long
des massifs sapinettes hortensias œillets géraniums
lavande terreur du front populaire devant les grilles
scandant au poteau et moi sept ans avec éléonore un
instant sortie de l'atelier ses mains sa démarche tout
un autre savoir réservé la précision l'évidence la
fenêtre ouverte ironie la douceur lactée cuisses cheveux sur ses poils baiser mouillé tout au fond d'où
venons-nous peut-être du petit couloir sombre là-bas
sur la droite déjà ça parlait toutes les langues en exil
passant italien espagnol hollandais anglais écrasées
allemand haut-parleur dans les rues fermées et l'apparition de l'étoile cousue jaune sur les poitrines révéla-
tion à l'envers d'un crime le fascisme nous apprend
que le monde craque et les bourgeois avec leur fran-
cisque barrée bleu blanc rouge crapules visqueuses
flics patrons curés qu'es-tu devenue laurence aux yeux
noirs refusant qu'on se caresse avec ce crachat jaune
sur ta robe près du bassin noir la plus belle décoration
qu'on verra jamais le bijou du temps en lui-même où
ça donc auschwitz mathausen et toi jeannot avec ton
sac ton béret qu'on ne voyait pas à la communion à la
messe bas les pattes papes à quatre pattes léchez le
sang juif à poil uccello qu'on te regarde un peu le bout
pour voir si ta profanation de l'hostie est autre chose
que d'la propagande tant qu'ils y étaient ils auraient
dû débaptiser le lycée montaigne né michel eyquem
parce que c'était lui parce que c'était moi le mol
oreiller du doute ou le casque à pointes commentez
discutez le plus grand roi de la terre n'est encore assis
que dessus son cul moi j'allais au lycée montesquieu

c'était la campagne louis secondat de rouge léger velouté on n'écrit pas l'esprit des lois en huit jours même entouré de carpes de pins de collines je suis à présent à venise mon cher usbek on peut avoir vu toutes les villes du monde et être surpris en arrivant à venise on sera toujours étonné de voir une ville des tours et des mosquées sortir de dessous l'eau de trouver un peuple innombrable là où il ne devrait y avoir que des poissons les chrétiens sont plutôt comme ces malheureux qui vivaient dans les ténèbres de l'idolâtrie avant que la divine lumière vienne éclairer le visage de notre prophète voyons ambigat bellovèse jusqu'à milan vers le 7e siècle en avant le grand arc de cercle passez-moi le celte dispater le dieu de la mort la fin en eau feu comme il se doit enterré avec son cheval quelque chose de mouvant appelé déjà bituriges autrement dit rois du monde toujours rois et si tu veux mon avis rois de la biture pure et simple pieds dans le raisin ivres morts pendant les vendanges quand se lève l'automne doré pourri noble dans chaque grain du bartas aussi influence la langue avec du gascon cadet capulet goujat gouge ou encore à travers le provençal bandolier barrique cabane cachalot cap cave capon cuillère esquiver tocsin ou encore emploi transitif de sortir entrer tomber fixer allons paris vaut bien une messe une poule au pot on dit que malherbe et les grammairiens ont dégasconné la langue qui depuis n'a plus jamais déconné sauf exception reçue les lèvres pincées quoi qu'il en soit aquitaine signifie pays des eaux et il y a cette histoire de la fille de guillaume baisant son oncle ce qui plaisait pas à saint bernard le chien des croisades d'où plus d'louis on passe à henri et par conséquent l'angleterre pendant trois siècles en définitive gaulois est une invention des impérialistes romains juridiques quant aux francs c'est pas mes ger-

mains y a qu'à voir où ça s'passe 842 serment de stras-
bourg vilains francs vilains serfs salade vase de nuit
tripotée roncevaux nous nous sommes battus contre
jeanne et voyez-vous nous en sommes fiers saint louis
nous laisse froids on aiderait plutôt les cathares d'un
côté déluges retournez vous pourrez par votre onde
noyer non pas laver les ordures du monde de l'autre il
n'est rien de si beau comme calliste est belle d'un côté
dans le sein de l'enfant transporté le poignard chaud
qui sort des poumons de la mère de l'autre mignonne
allons voir si la rose d'un côté chute de babel confuse
bruit encore le finlandais eût pu visiter l'africain l'indien l'espagnol l'anglais l'américain sans aucun interprète de l'autre madame avisez-y vous perdez votre
gloire de me l'avoir promis et vous rire de moi bref
d'un côté la nuit savante de l'autre france mère des
arts des armes et des lois de quoi vomir dans leur
papier de dentelle en effet la bourgeoisie a trouvé toute
prête cette paille mouillée ces chairs flasques afféterie
minaudée soi-disant beauté évanouissement du sens il
n'y a pas par définition de poésie bourgeoise de même
qu'il n'y a pas d'histoire petite-bourgeoise imaginez
que ces deux absences se combinent vous voyez d'ici
l'ennui l'irréalité eh bien ouvre les yeux ici aujourd'hui
quelle niche y a intérêt à s'tirer sur place le plus vite
possible allez reprends ton corbeau ton élan des mers
mon viking le bétail meurt les parents meurent toi
aussi tu mourras mais la gloire elle est immortelle che
gloria il monir per desio della vittoria laisse tomber la
glotte à béquilles sainte terre-baise de l'enfant vicieux
repars poursuivi par frisées nocturnes mais quels sont
ces serpents qui sifflent sur vos têtes alecto mégère tisi-
phone un homme meurt mais son nom ne meurt pas
vas-y vieux jeune endurci cro-magnon barde scalde
bracelets bière épée écorché d'ogam scando veut dire

monter scatebra cascade ovide parle du jocosus nilus id est l'égypte qui mène joyeuse vie sors de la transition répétée de l'animal à la femme se prenant pour un homme et faisant se prendre l'homme pour l'homme il n'y a finalement qu'un fétiche c'est l'homme statuette écho du golem aïe ça fait une côte si on veut monter en haut des remparts je suis sourd-muet achetez-moi ma pochette de joie et gaieté à votre bonne volonté prix libre merci d'un tempérament discret et résolu malgré vos apparences froides on peut compter sur votre sympathie vous êtes dans l'impatience je vois ce qui vous chagrine et vous pouvez être tranquille vous n'avez pas d'inquiétude à avoir à ce sujet d'ailleurs vous ne tarderez pas à en recevoir les preuves non seulement vos désirs s'accompliront dans un sens favorable mais encore vous ferez un voyage inattendu pour une affaire sérieuse qui sera cause de votre changement d'existence réjouissez-vous et prenez patience cela ne tardera pas résumé caractère aimable et bon cœur vous reconnaissez difficilement vos torts famille vous y trouverez un appui dans un cas assez difficile jeu beaucoup de chances mais trop d'ambition cela vous perdra si vous ne réagissez pas loterie votre billet doit se terminer par 0 ainsi soit-il mais vous devriez essayer le moment venu d'un peu plus bas en retrait en fuite plus rapidement impalpablement donc un monde s'achève en terrasse dans les lits bureaux lavabos disons eka un masculin ou plus souvent neutre aja non-né impérissable aksara ou parama pada séjour le plus haut les aèdes avaient l'impression que la diversité des phénomènes y compris mythologiques est l'effet d'un jeu que la vérité l'essence des choses satyasa satyam se situe au-delà qu'enfin les noms divins sont les supports imagés coulant d'une même audition visionnée aditi aditi aditi comme le cygne qui siège dans le ciel clair on devient facilement ce qu'on désire à condition de devenir d'abord ce qui devient au départ brahman signifie simplement formule formulation déformolation formulante disons la lanière de miel sur l'onde avec l'ombryon la tendance devient refrain litanie retour série insufflée de pas dans le vide voilà longtemps que je descends ainsi cet escalier avec le résultat de monter tu comprends il y a le temps où tu es seul en rejoignant la cohorte où tu fais la queue le long de la queue et puis crac après flouc en floc c'est là chaque trou ça dérape le monde est un abîme et l'abîme est mon trou dit-il sans trop savoir ce qu'il dit comme d'habitude en définitive on revient toujours au géant sacrifié tournant de l'évolution enfermé dans la citadelle donc cheval océan réservoir j'ai vu sa tête ailée sur les routes les coursiers sont en file comme les canards sauvages ton corps est en plein vol ta pensée fonce comme le vent houla houla vetasa verge d'or soma fente noire freine un peu ou c'est la fin sur le champ laminé versoir céti qu'à la fin on s'rait plus qu'des gouttelettes invisibles pendues hors des crânes photographiés dans le mensuel salut voisin de vitrine gueule de pierre polie à droite de celle du fameux cartouche la boîte de descartes enfant évidemment napoléon perçait déjà bonaparte tout condamné à mort aura la tête tranchée na na et nana et voilà d'nouveau l'anti-muse sortant d'ouraganos tombé dans la mer ce qui fait qu'un poète a d'abord un goût prononcé de menstrues dans la bouche et qu'il n'est pas raisonnable de lui demander de parler comme s'il n'avait pas perdu ses dents d'lait oh le sein des parques lachésis atropos dans chaque fille un fil dans chaque mec un mac en haute mère on a besoin d'un pilote ne pas oublier qu'elles croient ces dégoulinantes chéries que la musique leur appartient droit d'éponge entre jambes comme si elles étaient

seules à déchiffrer la première lettre de l'allah fait bée
sur l'museau frisé du bœuf en ancêtre le muflé taureau paroi d'être alfbetgamldelthewawzayinhettetyod-
kaphlamdmemnunsamkayinpesadekophreshsintaw ça
c'est le vent passant légèrement sur les boucles tra
l'erba e' fior venia la mala striscia naseau soufflant
cabale rossignol qui chante brinquebale don d'échange
qui est dans les chiottes moi mystère plongé au fond
du tartare comment l'aimez-vous ce steak plutôt relevé
oui du bon pâté d'orphée servi par le vieux garçon à
bacchantes lèvre supérieure poilue pour mettre en relief
le tarin surpris en culotte du coup nez luisant pour
toute la vie élémentaire mon cher watson si vous voulez lutter efficacement contre l'agent 666 vous devez
employer sans réserve l'agent 515 inutile de vous dire
ouah ouah comment la lettre s'est envolée juste comme
j'achevais de la griffonner dans sa preuve par neuf l'inconnue du mois faites-moi disparaître cette tache
voyons petit mousse et là y a un moment où la fille te
regarde en émettant je suis toi t'es content que j'sois
toi ne pas oublier non plus que l'inconsolable et d'ailleurs imberbe chanteur s'étant retourné trop tôt sur son
orifice ce dernier à peine sorti de l'enfer se repétrifia
du coup statufié à droite déchiré à gauche et enterré
où ça je vous le donne en mille à lesbos pas possible si
c'est trop beau sapho à une jeune fille ah le mec qu'est
assis en face de toi me paraît l'égal des dieux ma
beauté when he listens to your sweet words 600 before
christ harmonia discordia concors l'héliotrope est la
fleur qui rend invisible en ce monde et je te conseille
même d'en mâcher quelques pétales en nageant calmement dans l'achéron le cocyte le styx ou le phlégé-
ton oui il s'agit bien d'une comédie puisqu'on va en
somme du fétide à l'agréable de l'enfer au paradis
contrairement à la tragédie élevée sublime mais qui

finit mal voulant t'arrêter en cercle par exemple dans
le cinquième chant celui des passions aspic de cléo
manchettes de sémiramis la comédie elle se présente
modestement en langue vulgaire dont tout le monde
y compris les femmes du peuple se sert chè non è
impresa da pigliare a gabbo discriver fondo a tutto
l'universo né da lingua che chiammi mamma e babbo
et ainsi de suite depuis l'argile jusqu'à la découverte
des anges qui eux n'ont pas de mémoire non ce n'est
pas par hasard que les muses sont censées nicher sur
le mont comment ça déjà hélicon ah oui hélicon salut
à bon entendeur manieur de l'hélice de musica tracta-
bus sive musica practica il y faut disons un certain
empyrisme quatrième sphère active au 13e ciel de
flamme du grec empyrios dont les pyromanes gardent
la trace tourbillons grégeois la lumière du lac et autres
effets de cuisson bain-marie marmite ce petit disait-
elle il faut le surveiller comme du lait sur le feu ah le
saint vase nuit quête du grâle ça m'rappelle que goethe
enfant aimait bien jeter la vaisselle par la fenêtre en
criant mananumen mananumen walhalla vois-tu le
temps est un puits profond où nous aurions pu nous
perdre mais nous sommes restés sur la margelle près
de la poulie et du seau grinçants dans le vent respirant
comme ça du côté giroflées capucines et plus loin
devant la marée revient par beau temps les grues vont
hiverner sur le nil quelque chose vient chauffer le
fœtus comme le soleil la vigne et voilà je parle maintenant à ras de matière portée par elle anti-œuf germé
pour oiseaux poisson d'ouf chiffon soufflé sur les
algues des bactéries aux étoiles le geste est joué ni en
moins ni en plus profondeur à plat incompréhensible
pointillé du tir confondu en poche et il y a cet arbre
s'éloignant de moi dans leurs yeux quand ils lâchent
prise sensations du vieux tempes fraîches au-delà du

bois j'aime dormir là dans mon sac en écoutant comme qui dirait la rosée l'entrée quel était ce moine qu'on retrouvait en érection léger au-dessus des buissons en train de regarder les effets blanchis invisibles du foutre à l'envers attendant ses stigmates comme une plume mains pieds flancs délicieux vinaigre après le vin d'messe folle exquise assise parlant au poulailler baptisant veaux vaches cochons chenilles enfants vers luisants or sus vous dormés trop madame ioliette il est jour levés sus écoutés l'alouette petite que dit dieu il est iour il est iour lire lire li fere li lire li ti ti pi tire liron réveillez-vous cœurs endormis le dieu d'amour vous sonne à ce premier jour de mai oiseaux feront merveilles pour vous mettre hors d'esmay destoupez vos oreilles et farirariron farirariron ferely ioly vous serez tous en joie mis car la saison est bonne chouti thouy thouy et autres niaiseries pâquerettes fraîcheurs de l'époque en riant l'humanité se détache de son passé nous sommes la cendre d'innombrables êtres vivants quand le problème est de l'éprouver dans la gorge comme si on était devenu tous personne quel instrument impalpable dissous dans le vent je regarde ces visages terreux fond de teint pincés raideur triste ils ne dansent pas ils remuent la rue est pleine de peau boutonneuse usée ils ne marchent pas ils avancent oh cette fatigue lourdeur en sommeil un curé naïf dirait que l'enfer est la représentation du monde profane et voilà les types sur le boulevard avec tambourins krishna crânes rasés peinture sur le nez ou les autres plus œcuméniques soleil levant affiches panneaux dieu existe-t-il vraiment si oui qui est-il et pourquoi créa-t-il l'homme et l'univers dieu gouverne-t-il ce monde directement si oui pourquoi ce monde est-il dominé par le mal l'injustice la misère et la souffrance si par contre ce monde est sous le règne du mal comment ce règne a-t-il pris naissance quelle fut la mission de jésus cette mission fut-elle accomplie totalement hum que fait dieu aujourd'hui peut-on lui offrir une cigarette où va notre monde depuis 1960 les pionniers du nouvel âge vivent et proclament autour du monde toute la vérité sur ces questions ils vous invitent chaque soir métro mouton-duvernet le maître va revenir au jardin des plantes frémissez esclaves consommateurs paris-bombay d'un coup d'aile katmandou-new york carnactokyo moscou-le caire la grande cuve a tremblé dans ses parois volcaniques en plein schiste persépolisdublin par les lacs maintenant dit-elle je respire par les sons c'est plus commode quand le maître nous regarde avec ses yeux de velours derrière ses petites lunettes cerclées nous sentons le sirop du tout le feu grundstoff des dasein en revanche elle est pour les douze dieux et moi je demande si jamais y en a eu zéro incurvé d'un geste mort du poignet mais déjà elle n'écoute plus elle allume ses bâtonnets elle trouve que le trip va mieux dans l'encens rideau cloches ou pink floyd choisissez votre langue dans le frigidaire l'éprouvette rosée fleurs de lys comprimé français jouant sur doucement douloureux coucou et chaperon rouge d'où vient cela je vous prie de quoi comment et pourquoi dites-le-moi dites-le-moi je vous prie en réalité la bourgeoisie a horreur de ce qui est noble populaire et la petitebourgeoisie renchérit sur l'acné de la bourgeoisie et la bourgeoisie avale apéritivement ses points noirs curieux face-à-face que voulez-vous l'esprit a disparu avec l'accident d'auto de machin nous sommes désormais dans une période de braguette ouverte personne ne respecte plus les mystères allusifs c'est vraiment une fin de cycle kali-yuga c'était écrit mektoub il nous faut une rénovation par le feu qu'on leur coupe enfin les cheveux le socialisme est-il pensable dans ce flot merdique maintenant qu'ils ont pris l'habitude de se regarder dans les cabinets croyez-vous qu'ils vont se supporter à égalité tu parles comparaison des étrons le mien plus moulé le tien plus foncé le mien plus tressé le tien plus salé c'est moi c'est toi moi d'abord ça y est la grande enchère coranus c'est parti pas d'cadeaux ou alors la bouse y a plus d'maîtrise des sphincters c'est la fin du sphinx de notre ère d'ailleurs nul ne saurait ni par mer ni sur terre trouver la voie qui mène aux fêtes des hyperboréens jadis persée chef des peuples s'assit à leur table et entra dans leurs demeures il les trouva sacrifiant de magnifiques hécatombes d'ânes leurs banquets leurs hommages ne cessent pas d'être pour apollon la joie la plus vive et ce dernier sourit en voyant s'ériger la lubricité des brutes qu'ils saignent à l'instant précis l'étude de ces questions obéit à un schéma en trois parties date lieu mythe quant à savoir ce qui était senti au milieu du bricolage et pour ainsi dire dans le nerf des listes tintin tu peux repasser c'est pas recensé va toujours chercher pourquoi les cen-taures ont le bas mémé et le haut pépé pourquoi chi-ron dans la médecine pourquoi python gê nombril terre salut je t'envoie ce chant à travers la mer grise comme une marchandise phénicienne diphros chru-séos ptéroisin akamantes hippoï n'aspire pas à la vie immortelle mais épuise le champ du possible mélange des crasses ô farceur quant à moi nous labourons le pré d'aphrodite aux vives prunelles oui je dis bien pru-nelle pas pupille verre contact pus fille pille féminin pupillus enfant petite figure reflétée pupa poupée pou-pard poupon poupine le sein la mamelle terme de droit en 1334 pour dire qui n'a plus ses parents la racine pil aller vaciller que papillo redouble se retrouve dans pilu insecte essayant de décrire la voltige mexicain papalotl italien farfalla plumes de paon pailletées en conséquence je demande l'aide des bonds des godh des rögn pour passer mon yast dans le monde osseux comme dans la pensée eh bien c'est ici exactement ici près d'ici que mes mots ont commencé à trembler sous forme d'avions de comètes vrilles torches en train d'épancher ce ciel vers la fin du jour le délire approche en décharge il suffit de trouver dehors le déclic brut ennemi mur de foutre piolet houillé embrouillé branle-moi sinon je me saute rien qu'un p'tit rituel quoi un brin d'prière donc mon atmosphère s'élargit bouclée dans l'éther arriverai-je à être une fois une parcelle aiguë de son souffle arriverai-je à faire rive dissolveur de rive dans son reflet je comprends celui qui dit non je ne m'arrêterai que lorsque le dernier aura été libéré jusque-là je ne veux entendre que des dissonances je refuse de signer l'accord préparé le problème c'est d'en finir avec ce gâtisme du 19e normalisation usée marxisme genre notaire caleçons matrices rouillées l'installation intestine le stalintestisme quand retour-nera-t-on cette poche tu m'entends oui l'avenir tu m'entends tu m'as rappelé alors socrate dit à ses juges le moment est venu pour moi de mourir et pour vous de vivre qui de nous a le meilleur sort seul un autre le sait accusé par un orateur un poète un tanneur belle équipe je dis seulement que je ne sais rien donc tu es monstrueux puisque tu n'as besoin de personne mons-trueux pourquoi monstrueux qu'est-ce que ça veut dire monstrueux eh bien ça veut dire plus voilà tout et le plus doit être semé dénoué mais ne pas dire je sinon c'est sa fête l'exception doit confirmer les règles autre-ment dit le cycle de reproduction bon donc rendez-vous à montparnasse sur la piste d'hélicoptères j'aime bien ces cafés vestiges du 20e avec leurs noms prophé-tiques dôme coupole cosmos rotonde module gymnase cristal saint-amour un quartier pour nous pas vrai fontaine zodiaque du côté port-royal de l'observatoire le silence de ces espaces infinis me ravit grandeur de l'homme sans dieu pelletée de terre et tout est fini souviens-toi de la pluie sur les marronniers du chauffeur à qui j'avais dit que j'étais astronome de la rose dans la main droite rond blanc jaune horloge nuit noire et verte de l'impasse ouverte sur un rocher en forme d'arcade mars et vénus enlacés près d'un cubiculum vulcain percé dans sa forge apollon les filles mercure pégase la beauté formelle chérie on s'en fout bizarre qu'ils n'arrivent pas à comprendre ça avec leurs classifications leurs mélanges tout dans le même sac au nom du langage poéticiens et ta sœur dès qu'il y a une anomalie elle va rejoindre sa boîte dans le musée des fouteurs ça m'rappelle un prof ouvrant mon dernier machin feuilletant au début au milieu à la fin survol militaire des côtes eh bien ça a l'air intéressant au niveau des articulations logiques non dessous rien ne bouge le pays me paraît sûr je ne vois décidément rien sous ses feuillages même pas une armée à vélo dans les marécages ça m'a l'air ok pas trace de viets il est vrai que si tu rapprochais ton p'tit véhicule à formules pauvre con t'en prendrais plutôt plein la gueule et au bazooka encore dans le réservoir quant à descendre dedans mon œil mieux vaut faire semblant de tenir l'atmosphère car en bas c'est plein d'moustiques on a vite chaud les types veulent leur coca-cola leur goûter servi et je parle même pas de la drogue qui les empêche de s'en tenir grade à la symbolique du coup plus d'officiers le moindre mec prétend savoir où mourir c'est plus un texte ho c'est pas djeu on doit quand même faire la guerre dans son ordre une forme doit être une forme un gadget un gadget que voulez-vous l'avant-garde ne sait plus se tenir je l'avais prédit qu'ils iraient chercher du contenu qui soit contenu même s'il

est la forme de son contenu du contenu quelle régression quelle horreur et quel contenu non c'est pas vrai
l'histoire la lutte des classes ah misère mais c'est pas
possible mais alors le peuple va y revenir quel cauchemar cher confrère et notre tournée de conférences sur
l'origine des langues annulée et ma p'tite maison que
j'ai pas fini d'payer ils vont nous ruiner avec cette histoire de sujet du sujet du sujet comme si on avait le
temps ou les forces et l'histoire en plus comme si
c'était pas assez compliqué au fond tout ça vient des
grandes défaites coloniales voyez l'algérie cette manie
du commandement de passer à toute allure sur les
oueds sans regarder derrière chaque buisson chaque
pierre ça devait arriver cette crise alerte aux armes de
deux choses l'une ou bien la littérature est lisible et
répète nos conneries ou bien elle reste illisible c'est
compris oui mon adjudant transmettez immédiatement fusillez-moi les moindres tentatives de réalisme
celles qui pourraient toucher la pureté expérimentale
s'entend l'autre évidemment on s'en fout nous devons
éviter le reflet à tout prix la fiction critique le sens
positif qu'est-ce qu'on doit soutenir le four sans issue
spectral défoncé finish le spasme sur place voyages
voix magnétophone enculages ralentis démultipliés
cybernétiques l'interconnexion surtout dites que tout
communique des pulsions aux astres ne lésinez pas sur
les pendus longues éjaculations mortelles je veux voir
passer la moelle épinière par l'urètre quelques hémor-
ragies costumes spatiaux garçons moelleux merdeux
angéliques vaseline gélatine laxatifs pour bien dégager
la causalité le monde est un grand fessier télésidéral
police foutez des magnétophones je veux qu'on entende
glouglouter le sperme en graissant les sons bref du
cinérama jardin des délices roue bande orgasme pré-
coce baignoires messages pour robots pieds-bots pour-

rissants couches bleus fritant l'atmosphère des mol-
lusques des rochers baroques peaux scaphes entamés
virus des capsules foie d'morue et hop apollo direct
en secousse décor misérabiliste matelas tachés slips
souillés vents du temps pets mous corridors échelles
tout en rectum énigme absolue tordue d'héroïne des
seins si vous voulez mais solide slip cuir ceintures
bottes fouets mitraillettes rattrapant la pente travestis
perruques piquez-les carton coton de l'astral oh giclure
occulte retour de satante cavée au savoir bref faut
qu'ça clignote j'veux pas sentir même le millionième
d'approche de concept vivant ou alors empaillé gris fer
triste en crève fini l'alcool à nous blanche molle plus
d'paradis artificiels l'enfer bien réel et surtout du scénario pour rien que ça aille pas dire comme ça quelque
chose tourniquet pur sans commencement ni fin le
langage lui-même touché en cellule herr doktor pas
l'temps qu'arrive l'sujet sub-vocal poum flash trente-
six mille chandelles juteuses bananes cut-in éclabous-
sées par seconde scenic radioactif railway scrash on
lave plus l'cerveau on cervelle en lave poker du micro
on macrote le quasi-microbe juste avant son éclosion
sans ego refoule-moi bien toute ma merde vas-y baise
putain bouillonne crache ta tumeur j'en veux des
bocaux de ta pisse chauffée boule jaune avec millions
de spermatozoïdes élevables in vitro montez-moi d'un
cran le gâtisme j'en veux du trembleur fumeux genre
fusée silencieux à épouvanter l'amateur qui croit pouvoir passer non mais sans blague suffit d'partir du
principe mécanique pour en finir avec prétention
connaissance übermensch shooté d'homoncule notre
thèse c'est tous les membres sont pires qu'un siècle
rien sous l'tænia la biologie mur final kama-sutra
nécrophage ah on va leur gratter l'fossile avec ces glis-
sières on est là bien avant qu'ça grille essayez de nous

attraper mes cocos rien à faire ah vous voulez la
révolution baisés thalamus librium valium amusettes
signalez-moi les cas résistants le style forte tête la
graine d'écrivain progressiste qu'on le passe un peu à
la protolyse exploded ticket j'vous ai dit sergent d'être
flou sur la mescaline ça nous les éduque ça leur donne
le sens des dieux regardez l'tableau céline à meudon
crevant dans son baraquement avec ses chiens ses
trois points gueulement visant les chinois à brest
ou cognac râle étouffé rigodon dans l'égout du siècle
beckett dans sa fosse néon métallique déplacements
minimaux avec sacs boue briquet pommes de terre
burroughs sur ordinateur cycle bandes revolver serin-
gué optique tringlée en cerceau le reste existe pas
cafouilleux rampant décadent j'vous l'dis patron avec
ça plus d'littérature pour mille ans des camps concen-
trés formes simples ou alors suck découpés super au
laser on tient le bon bout mais faut ouvrir l'œil ce
retour du contenu vous disiez commissaire bof un peu
d'urticaire juste une rougeur quelques maoïstes de
salon un truc pas mal ce s'rait de faire traiter les révolutionnaires de fascistes par d'anciens fascistes réac-
tualisés à la faveur de la crise du moyen-orient on leur
demande simplement de s'cacher la croix gammée
sous le slip d'avoir l'air anchois faisant l'hydre regardez c'que ça donne on peut s'étonner qu'un cercle de
lumignons rayonne autour de ce petit girondin dès
qu'il fait un peu grincer le lit de la marquise la servilité
monterait-elle jusqu'au matelas mao lui ayant passé
sous le nez il veut être finnegans wake c'est-à-dire les
évangiles il s'exprime en grec corrompu quoi qu'il fasse
il ne peut prétendre qu'à l'écume illégitime des choses
pollutions nocturnes des séminaristes qui en songe
s'adonnent au commerce des femmes et souillent les
draps de leur infinie interdiction d'être au monde de

leur infinie détresse d'état donc fifi interdit de parole
bafouille interdit d'écriture il bat la crème le vomi
froid des ivresses terribles des autres interdit de faire
l'amour il en emberlificote infantilement les rites et les
déviations supposées qui chez lui restent lettres mortes
sur des pages trempées impraticables houf houf jawohl
c'est bien envoyé ça brigadier allez-y plus fort le sexe
auréole doit rester à droite question d'sceptre que voulez-vous famille clan liens du sang du grec skêptron
proprement bâton paratonnerre à phallus pour conduire
décharge de fantasme fesse à vase naturel enterrement
de la foudre donc les revoilà unifiés ciment colonels
œil de verre et sardine à pattes aristo racial filandreux
nasal pourlécheur sous bave et nefertitine divans bougies frôlements et que j'te raconte mon dernier rêve et
veuve mandat table de nuit tournante et l'humaniste
grand cordon foireux du pleureur reste plus qu'à leur
livrer l'uniforme vert olive ceintures croix d'fer bot-
tillons c'est qu'ça les démange depuis trente ans de
lever le bras à l'horizontale ça les gratte à fond ce truc
d'érection ici intervention des nains feutrés cagoule
templiers style nouille vous avez vu quelque chose
vous oui la spirale escargot ah nom d'un mort de dieu
encore la moustache on n'en sortira jamais alors du
chassieux mais si mais si dans la légende le mouvant
prend figure tandis que dans l'mythe les figures se
mettent en mouvement reprenons il était une fois il y a
longtemps dans une contrée lointaine et bien entendu
tout se passe ici aujourd'hui ce qui fait que l'poète
reçoit chaque matin au courrier son paquet d'vomi
avec le bon souvenir des contemporains eh ho c'est pas
une vie ça mais si c'est la mienne et j'peux même te
décrire le comportement des voisins en pleine fin du
vingtième dans la ville soi-disant lumière tomates sur
la porte dégueulis dehors les métèques les chinois à

pékin le mari est gêné il est à la cgt il m'attend sur le trottoir le matin pour m'expliquer que sa femme est un peu nerveuse paraît qu'on fait du bruit si on baise paraît qu'notre bidet a une fuite bref elle nous entend constamment ah ces français travaillés racistes et tu peux penser dans ces conditions tu vois sans augmentation des clous bon on verra ça dans dix ans devinette qui marche sur quatre pattes le matin sur deux à midi et sur trois le soir qui n'a pas de pattes la nuit réponse sophocle lorsqu'il est en forme et moi je dis que ce qui les rend fous folles c'est le battement sans marqueur venant se poser léger sur certaines filles mais loin d'elles en réalité ce qui les oblige à se nier eux dans l'nié elles eux niés appendices mus du nié face à face niant la membrane l'entrée voilà du commencement qui vous donne l'explication de la haine que je provoque relevée stomach dans sa flamme laquelle se porte principalement lécheuse sur votre entier serviteur dont je n'ai pas besoin de vous dire qu'il en a ralbol d'avancer millimètre par millimètre conclusion l'intolérable pour eux jouit en dehors de toute communication donc crime restauration du décor ils veulent maintenant saisir mon matelas comparer les taches avoir des prélèvements liquides tous les soirs j'en découvre un sous mon lit ils disent qu'ils n'ont pas eu leur ration qu'ils sont blasés des sexshops ils me demandent une religion sinon on dira qu'c'est pas toi qui écris tes pages ou bien qu't'es réac na allons bon c'est la meilleure le bouquet l'sommet la perle du cocotier voilà c'qui arrive si un type se met dans la tête de venir renier avec une volonté indomptable une ténacité de fer le passé hideux de l'humanité pleurarde s'il veut proclamer sur une lyre d'or autre chose que les tristesses goitreuses les fiertés stupides qui décomposent à sa source la poésie marécageuse de ce siècle disant avec les pieds je foulerai les stances aigres du scepticisme passez grotesque muscade allez la musique je reprends je fends je dégage arma virumque cano archipel pagayant soleil sous les feuilles ô vin merveilleux démocrate donne-moi ici ce qu'il faut pour flotter en haut maintenant le soleil suit le soleil et toujours pas trace de la terre oh vagues cavaliers parthes et ce frémissement des forêts finalement tout est joie poissonneuse joie jeux légers cœurs légers légères nageoires dos joyeux et joyeux esprits comme des lianes dans la voie lactée qu'est-ce qu'une montagne en général la réponse contenue dans un geste verbal s'énonce colonne du ciel océan quand tu veux bien sourire tu es plus beau que la prairie en fleurs qu'est-ce que tu veux on ne peut pas tout raconter c'est aussi populeux que la chine et d'ailleurs la vérité est sans voix mais approcher de là où j'approche c'est comme autrefois pour les marins deviner la côte après des mois à la voile et ça pourrait être un rêve comme le monde entier un élan les bois lancés de son front rêver veut d'abord dire vagabonder jusqu'au 15e et délirer encore au 17e sens moderne vers 1670 du gallo-romain esvo errant ancien français desver perdre le sens c'est ce que je disais on commence dehors et ensuite plaf en psychique même truc pour cliver néerlandais klieven allemand klieben anglais to cleave proprement fendre on connaît l'importance de l'industrie diamants d'amsterdam voilà la preuve de la pratique muette multiple et muette souple en multiple houle plaine étincelle jaillie du silex peut-on nous étudier sur nos restes est-il raisonnable de se fonder sur fœtus cadavre et peinture cheval bisons bouquetins félins d'où venons-nous par les pieds cerveau 1 500 cm^3 dix milliards neurones supposons un jour un neurone par habitant je veux dire ricochet réponse point d'orgue infini groupé pour s'ouvrir maintenant je pense aux pollens gardés par la pierre néanderthal couché sur ses fleurs et voilà si je parle je ne parle pas ce n'est pas écrire que tracer en moi ce qui trace mais admettons que la bande se déroule ici devant toi ou plutôt fasse rotation tambour en croisant sous toi sa croissance avivée aspirée depuis l'ocre ah je sens le rideau plissé le bout d'allumette où allons-nous sûrement pas dans les grimaces du jour vous êtes loin mes lapins loin si loin deux ou trois tics nerveux bout des lèvres heuf heuf rire en dedans peureux pour ses dents c'est en 1869 qu'arrive maldoror sur son cheval blanc à la page même année découverte scientifique de la ren- contre spermatozoïde ovule qui comment pourquoi tonnerre dans les encensoirs que sommes-nous peu importe allons in progress comme si tout déjà était tout déjà sans jamais pouvoir être déjà ni tout ni déjà l'essentiel est cette aération du sommet des bronches ce courant parabole évasé bouclé ho brise tiède bleuie endormie bon je voudrais qu'il soit clair au moins une fois dis simplement une fois oh une fois à travers mon triple cerveau reptilien mammifère cortex que je que décidément je que pour je qu'en je qu'je ergo je mais dans le torrent bébé faut pas croire et aussi dans le lent soulèvement d'la paupière bref je plane saumon alors on soulève le couvercle attention faut pas trop les cha- touiller ça mord vingt-sept ans juliette n'oublie pas en tôle eh bien tu vois c'que tu fais me rappelle les tour- nesols de van gogh ou plutôt le grand soleil sur les champs là tourbillon violet jaune en bleu jaune et vio- let vert violet jaune en bleu noir sous jaune il est évi- dent que le contrôle de la reproduction équivaut au pouvoir politique tout court c'est là qu'ça s'joue qu'ça s'dénoue face langue larynx main que veux-tu ils n'arrivent pas à penser que le sexe lui-même évolue et

195

de même que le cerveau ne connaît pas le tout du cerveau de même à cheval sur les chromosomes qui peut dire qu'il en a fini avec vagin bite clito doigt cul ne daigne le message coupé suit son cours media ligne grappe ailée script gélatine bande son image allahla et voilà les palestiniens en plein dans les jeux le sport fraternité des nations paf le scandale ça ne rate pas éditos avec dieux d'l'olympe ces terroristes sont en dehors de l'humanité snacks carton dix-huit morts pendant que les bombardements continuent sur les digues du fleuve rouge ce qui me permet de dire occident que tu mérites cette inondation ce débordement sons-mots-sons-non-mots-sons-ni-mots-sons dessus dessous emportez les feuilles cherchez la nervure soufflerie souffleuse le lied continu voix suspendue incurvée perdue or donc la lamproie marine appartient au sous-embranchement des agnathes qui remontent à 400 millions d'années sa classe est celle des cyclostomes cyclos cercle stoma bouche sans mâchoires entourée d'une lèvre molle circulaire adaptée à la succion autrement dit petromyzon petros pierre muzo je suce poisson anadrome c'est-à-dire dont la phase de nutrition a lieu en mer tandis que la phase sexuelle s'effectue en eau douce dualité qui provient de la rupture de l'unité climatérique lorsque le retrait des glaciers a entraîné la transformation saumâtre du littoral corps cylindrique peau visqueuse nage ondulante comme les anguilles migration au printemps vers les fleuves montée sur un autre poisson dont elle suce le sang sécrétion buccale ponte sur fond sablonneux enfouissement dans la vase attends que je m'applique ce traitement par excitation massée périodique chaque bord occupé à se traverser zones striées dans l'ensemble le problème est cette unité du point mort qui fait que la multiplicité est pensée en dehors à partir de l'unité fixe ou morte stupeur passagère au lieu d'y aller coupé sans arrêt bon la goutte pleure l'océan rit autrement dit la séparation ou la réunion fusion en écart diastole systole infiltrée du tout torsion de l'individu assurant la charge large inaccessible de la masse chauffée horizon vie triste mort gaie parasol ouvert et je reste penché sur ce microscope au fond toute la journée chaque nuit c'est moi qui reprends vraiment la question comique de la génération sponta-née entrebâillée comme chacun sait à travers la rage avec quoi je travaille maintenant c'est très simple élec-tro-acoustique particules sèches morse de base archi-télégrammes le plus drôle c'est les différences de poids t'as grossi t'as maigri elles sentent ça immédiatement du coin de la paume j'ai parfois l'impression d'être leur cobaye détaché d'organe soucieux baladeur ils ont avec moi des attitudes de rampants devant leurs ordi-nateurs ça va bien là-haut après tout qui est-ce qui prend les risques dans cette cabine le globe tout bleu en lointain comme si on avait largué tête et cul elles disent que mon foutre a un goût particulier saveur grands espaces je m'arrange pour l'écluser là d'où revient la vib maxima pas une larme à dépenser pour l'occidentale je décharge volontiers toujours plus à l'est ça me branche sur des migrations passées par rafales exemple constantinople canton exemple mycènes alexandrie ou la crète exemple leningrad beyrouth sur terre on peut prendre l'avion en tous sens réseau des coïts rapides imagine ce que devient la littérature anté-rieure coin du feu veillée des chaumières par rapport à ces arcs tendus en torches allumées rapides en relais salut marco polo du 21e n'oublie pas de noter le pied posé sur ton éléphant fresque négatif des pierres ah ces niches ces creux ces éclairs comme elle tourne la roue lancée pour se taire pas un lieu sans le ventre qui te convient douceur énervée cuisses bouches le fruit de tes entrailles est béni quelle idée ils avaient tout de même dans le vieux monde de placer leur coup sans y aller voir d'abord en courbure quelque chose leur a échappé copernic et voilà pourquoi ils ont en général crevé en claqué comme des vessies mal lavées manque de lunette atomique permettant d'apprécier les jets tourbillonnés schplaf paumés dans le sahara ou au pôle glaciers mers de sable main crispée de l'explorateur oui il est nécessaire d'avoir des nerfs d'acier ou plutôt pas de nerfs du tout un geste à sa place la sagesse aiguë des cristaux de l'eau l'émanant devient éminent sive canica sagacitate in venandis et perquirendis rerum omnium causis et principis un autre œil ouvert plus acide y en a qui disent que ça abîme le paysage ou les sentiments mais quelle erreur tout est plus vivant varié charnu squelettique tracé moelleux rempli évidé peint gravé coloré sonné avec derrière tout ça derrière non même pas ni devant dedans ou barrière quoi eh bien oui disons un sourire le grand l'effacé retenu dégagé sourire le dernier degré de la corde chaîne éclat brisé en sourire au-delà en deçà en plein dans l'tunnel au cœur du bordel rideau transparent sous le sein du bruit sur le cri yeux fermés retournés crâne en rêve l'auréole le hissé souplé quand je les vois comme ça plongés dans les temples c'est-à-dire au bord des forêts je m'dis qu'cette putain d'humanité a quand même été visitée là y a pas d'problème les voilà en train d'se remonter sans bouger comme des ballons translucides gerbe éclairée fronton mondésir piliers flûtes coussins somatiques et l'sourire en deux doigts mûdra décerclé lâché le filtré quoi le criblé plumé voilà pourquoi l'autre a raison de dire que le vrai est l'orgie bachique pas un membre qui ne soit ivre mais puisque chaque membre dès qu'il se met à part se dissout par là même cette orgie est aussi repos transparent et serein id est déchaînement égale tranquillité violence sexuelle égale retrait décentré permettez que j'ouvre une bouteille de champagne j'espère que vous l'avez dans le nez grimpé en moussé c'est l'aspect tam-tam tambourin chauffé de la chose et le spectacle commence à nouveau quand reviennent les vierges conspuées les vieilles enfants d'un antique passé que jamais n'approche dieu homme ni bête houla voiles noirs haine noire menacées par mes flèches blanches mon serpent ailé que disent-elles c'est toi qui dois tout vif fournir à ma soif une rouge offrande puisée dans tes membres et puis quoi encore non mais à moi athéna j'ai besoin d'ton vote dans ma balance elles vont m'empêcher de jouer bon ça va c'est passé faut chaque fois franchir ce fossé bidon dans la gorge à ta santé lecteur suppose qu'on arrive ainsi à se dégager le ciel quand on veut pour l'instant c'est bleu ça vient me lécher le visage il est trois heures de l'après-midi quelle idée de se saouler en plein jour l'air est tiède la fenêtre ouverte j'ai beau scruter les immeubles en face depuis des années pas le moindre petit symptôme de vice derrière les rideaux c'est à désespérer d'cette population et pourtant nous sommes dimanche et la fille là-bas qui se coupe les ongles des pieds et se regarde depuis une heure dans un miroir devrait se laisser aller glisser sa main quoi profiter d'l'entracte tiens elle enlève sa culotte peut-être qu'elle m'a vu qu'elle va remuer un peu voilà dérobade floue de ses fesses plus rien c'est fini misère j'parie qu'elle va aller voir au cinéma les mystères de l'organisme avec gros plan du moulage en plâtre d'une queue standard ou encore carnage viols dans la ville interdit aux moins de 13 ans raison précocité d'éjaculation ainsi va la ville mais allons reprenons le large on n'a pas assez remar- qué que la double dimension du langage œdipien

reproduit sous une forme inversée la double dimension de l'oracle oidos pied enflé oida je sais en suçant
son pouce raisin de corinthe on dit aussi les lois au
pied élevé définissant au-dessous les bêtes au-dessus
les dieux les unes et les autres pions isolés sur l'échi-
quier d'la polis hors-jeu brisure du jeu moralité celui
qui veut sortir sans pour autant s'acheter lunettes
canne blanche en écoutant bien le iou iou quand l'animal tombe finalement sans lui nous ne saurions rien
quelle vue dans le noir vrai dépassement du devin bref
y a deux façons d'être aveugle l'une à l'avenir l'autre
au passé l'hostilité à cet étranger revient à ramener
l'animal à fable chant obscur la voilà de nouveau à la
croisée des chemins mangeant ses rillettes pour ceux
qui savent je parle pour ceux qui ne parlent pas
je cache ou plutôt j'oublie voilà c'est le retour en
brouillard des monstres miasma miasmes de miainein
souiller ouverture d'un cycle avec question d'homme
fermeture de l'épicerie nouvelle question sans jambes
tu comprends une absence de sujet n'est pas une négation de sujet le problème est simplement de s'y déborder sujet nappe inconscient battant avant après la
ménagerie comme si tout ça n'était pas jouissance
écarlate au cœur des débris ou alors va faire un tour
au schizoo quand je dis tuer père coucher mère s'en
aller sans yeux d'où l'on vient faut comprendre que ça
s'passe sur le même corps main droite main gauche je
le répète on finirait par oublier l'ouverture avec devinette entrecuisse savez-vous ce qu'il fait après avoir
disparu à colone car antigone commençait à le faire
chier il revient sur le chemin de thèbes il s'aperçoit
que la sphynge remonte en surface eh bien une nouvelle fois il la tue mais averti par l'expérience précédente il n'en dit rien à personne et ma foi se taille loin
très loin il est là parfois parmi vous regard désolé

d'être si mal vu mal connu quelle salade ah humanité toujours empêtrée dans ses mythes oui oui c'est la vengeance de la vieille furieuse d'avoir été déchiffrée disant voilà hein c'est fini enterré une bonne fois ce cochon vous êtes libres chéris je m'accroupis sur sa tombe reproduisez l'impasse posez vos questions respectez la barre c'est moi c'est la loi j'anus en surmoi je t'apporte l'enfant d'une nuit d'inhumé à quoi sert le culte sinon à descendre dans les coins à remplir le caveau d'humus écrasé à perpétuer la même obscurité fécale préhistoire de l'étron d'église oh j'ai froid tout à coup je me demande si la notion même d'humanité n'a pas pris plaquée sa décharge si l'événement n'est pas biologique bien avant la ronde machinée en sonde pistonnant crachant bafouillant croulant qu'est-ce qu'elle a à dire finalement toujours l'entre-couac le sac regarde la tête de séthi 1er perfection de l'embaumement sous la 18e et 19e dynastie brûlure renversée du masque grand sommeil cendreux lumineux on dirait qu'il a été flashé en plein boum tendu vertical c'est la force entrée se fléchant les siècles la momie c'est quand même aut'chose qu'la photo non du point d'vue frisson vise-moi ce dégagement sans reste quelle gueule quelle jouissance à pic midi gueule claquant sur minuit dégueule est-ce que tu distingues à partir de là le primitif éternité nuit ténèbres à saisir main fils droite gauche noun toum atoum tefnout shoum le soleil navigue dans sa barque le meilleur c'est d'se faire féconder par le paquet dur quand l'phallus vient vivre sur le cadavre y bourgeonne encore donne son ultime larme résumé du plat et hop en route pour la procession en métamorphoses une chatte n'y retrouverait pas ses petits achetez nos dernières culottes mousseuses transparentes mesdames achetez nos sensations marque sans concurrence le voile d'isis comment entrer dans le monde souterrain et sortir au jour dans toutes les formes jouer aux échecs et s'asseoir dans la salle monter en âme colibri vivante boire l'eau du fleuve se lancer en disque programme complet avec planches vignettes cartes de la noix d'cosmos gratte-ciel pyramides ruches avec oubli du mort dans les fondations je crois qu'en gros le sens de la vie leur est indifférent désormais la piqûre a eu lieu ils ont leurs cachets encore une fois l'histoire va-t-elle arranger tout ça cerveau pensif division coudée du travail voyons les occasions manquées depuis la troisième quel sur-place quel piétinement pourrissement du dedans mangeons mangez marchons marchez rentrons à l'école tiens voilà monsieur l'aumônier retraite à soixante ans bien normal mille francs par mois ça va d'soi comment rendre les hommes égaux devant la mort sinon dans la vie repérage des portes de sortie foires parkings abattoirs asiles chuchotements meuglements vestiaires douches loin des cimetières des fours mais alors t'es obsédé par la mort non justement c'est pourquoi j'y renverse un peu l'audition faut avouer qu'j'ai un penchant inné pour cette aptitude reflet fondé naturel qui me rend suspect comme dit l'autre j'ai de bons amis qui m'aiment au moins autant que mes ennemis mais si je sors avec un costume neuf et qu'on me renverse un seau d'eau sale sur la tronche ils jouissent ou alors paf si je reçois un coup de barre de fer des fascistes eh mon vieux faut avouer qu'tu donnes des bâtons pour te faire battre avec tes idées ils charrient l'immémorial résidu merdeux j'veux voir qu'un seul homme gueule l'adjudant sur les rangs ah les fortes têtes l'hyper-individualisme on vous matera croyez-moi ou encore quand on est coincé dans le ghetto visite d'une camarade haut placée qui vous lance mais enfin vous ne supportez personne autour de vous convenez que vous voulez écraser les autres bref la projection obstinée ramassée légale ou encore vous êtes complètement sous l'influence de votre femme impossible qu'il en soit autrement toute-puissance du principe éternel en résumé on dirait qu'ils passent leur temps à se persuader les uns les autres qu'il peut pas y avoir sur le marché un mec hors marché du gratuit complet à dépense quelqu'un pour ressentir de plein fouet l'éruption explosion agonie d'éveil soleil noir franchement je cherche un endroit tranquille pour m'y enfouir de façon qu'il soit dit ni le feu céleste ni une tempête venue de la mer n'ont mis fin à ses jours mais le seuil s'est ouvert devant lui l'ombre sur lui s'est refermée c'est au pays des beaux chevaux étranger que tu es venu dans la plus chargée des campagnes l'éblouissante cité aimée des rossignols qui modulent d'une voix limpide au cœur du ravin habitants du lierre noir comme le vin sous le feuillage impénétrable séjour dieu des nymphes c'est là qu'il revient là sous la rosée grappes lourdes dans l'éclat doré du safran près des sources muses aphrodite conduisant mouillée rêves d'or voici donc nos poulains nos coursiers de la mer légère à la main qu'il fait bon voir la rame sur le flot bondir plongeant surgissant voilà tu y es ton dernier passage sais-tu encore ce que tu dis n'a-t-on pas lavé ton cerveau ce recul pourquoi ce tremblement bras mains jambes qui te freine t'arrête te ramène à toi pourquoi ces oiseaux de malheur va m'app'ler ta mère que j'te r'fasse je lis dans tes yeux la vieille et nouvelle et toujours plus vieille et nouvelle question vieille et nouvelle émotion j'te jure mon frère la fuite en égypte hors d'égypte voilà un des fonds t'imagines pas comme le sinaï chauffe pieds nus dans le sable comme c'est aujourd'hui yom kippour kol nidré les troupes de golda menhir se sont retirées après avoir abattu ce qui

pouvait l'être 60 à 100 fedayins quelques paysans liba-
nais attentats bombardements les affaires courantes
où en est notre révolution la télé présente un film sur
robespierre à la fin la mâchoire fracassée on le voit lire
sur le mur la déclaration des droits de l'homme et du
citoyen le destin écrit saint-just qui est l'esprit de la
folie et de la sagesse belles déclarations romaines coin-
cées connerie de l'être suprême français je vous le
répète l'europe attend de vous d'être à la fois libérée
du sceptre et de l'encensoir ici entrée du camarade
sade plus furieux que jamais poussant devant lui
dolmancé madame de saint-ange cette petite poilue
d'eugénie difficile d'ouvrir la fenêtre divan tapis pous-
siéreux suivez l'histoire de tous les peuples vous verrez
toujours les rois étayer la religion et la religion sacrer
les rois on sait l'anecdote de l'intendant et du cuisinier
passez-moi le poivre je vous passerai le beurre flash ici
sur torrent de foutre emporté crémeux la communauté
vulgivague entraînant nécessairement l'inceste il reste
peu de chose à dire sur un prétendu délit dont la nullité est trop démontrée pour s'y appesantir où sont passés tous ces mois prairial ventôse thermidor nivôse
brumaire vendémiaire floréal ans I II III IV V quoi
cinq ans pas plus jusqu'en juillet 94 ah fragilité liberté
cassure foulée douce le bonheur est une idée usée en
europe je jouis de cette poussière qui me constitue et
qui vous parle progression d'ego par anneaux réalité
wirklichkeit de wirken agir en créant eh bien une
forme de la vie a vieilli c'est cuit am'nez la suivante
qu'on sente la respiration de la brise shamm ennacîn
je suis de plus en plus perdu éveillé sur place pourquoi
ai-je fait ça maintenant pourquoi je s'rais plus qu'un
autre tout ce que j'ai pensé est nul arriéré forcé pourquoi se prendre pour le messie des cacophonies quand
tout est hasard fatigue raclée mal au ventre floc on

dirait que l'enthousiasme est tombé avec le vent hein je
n'entends plus rien pas une voix pas une ombre fini
l'espace accordé scandé voilà l'aile de la surdité l'aile
membraneuse velours chiasse incassable roc planté
gris c'est la pierre sale solide caucase et voilà tes
chaînes d'associations rongeant le foie d'autrefois
pourtant cette musique devait massacrer la mémoire
percuter direct le tympan non non pas l'oreille le tympan excisé à l'air non non pas la vieille caisse tout
un cortex lucide épluché couleurs brillées déglacées
maintenant écoutez soyez justes repérez les morceaux
l'effort les cristaux ça tendait vers non vers quoi enfin
ça tendait oui ça voulait oh oui ça voulait est-ce qu'une
plainte est risquée pute d'homme animal raté y a donc
pas un chat là-dedans alors je s'rais seul on aurait
commencé le service funèbre eh n'empilez pas les ten-
tures qu'est-ce que c'est ce cirque d'étoffes noires
pelles pioches ronflements du feu o mort vieux capitaine il est temps levons l'ancre il y a des moments
écrit le figaro du 5 juillet 1857 où l'on doute de l'état
mental de charles baudelaire il y en a où l'on n'en
doute plus c'est la plupart du temps la répétition
monotone et préméditée des mêmes mots des mêmes
pensées l'odieux y coudoie l'ignoble le repoussant s'y
allie à l'infect jamais on ne vit mordre ou mâcher
autant de seins en si peu de pages jamais on n'assista
à une semblable revue de démons de fœtus de diables
de vermine ce livre est un hôpital ouvert à toutes les
démences de l'esprit à toutes les putridités du cœur et
voilà c'est simple art dégénéré décadent ça court encore
les rues essayez le test l'essentiel camarade c'est la
construction du parti renforcer l'orga quoi l'orga l'orga
quoi l'organisation tiens ah oui l'orga organique orgone
orgasme appareil fantaisie pour orga merde ça va pas
recommencer profitons du desserrement décompres-

sion pourriture le régime s'effrite l'europe a casqué ça s'déplace plutôt vers japon moyen-orient inde ici formolisation verrouillée pour l'occidental tétanos d'ensemble des rapports sociaux d'où sujet défoncé halluciné morcelé tour d'écrou rongeur en vrillé à chacun selon ses besoins à chacun selon ses capacités tu parles mais si mon contenu précisément c'est l'ensemble comment me donner l'ensemble à moitié imaginez le puits le chantier j'écris parmi les pistons creuset du broyeur argile four ordinateur déréglé imaginez là-dedans un os en train de flipper à quoi bon caillou dans quel intérêt et lui obstiné dans sa fosse avenir radieux chemin tortueux inénarrable quoi louf maboul dingue siphonné givré disant je suis comme eux tous j'imagine volontiers dieu avec une queue n'éjaculant jamais jouissant comme une femme les enculant tous mobile tombant sur leur deux à deux quand il veut de toute façon où est-il celui qui ne sort pas de leur ventre en recommençant l'théorème donc faut bien qu'un trait invisible se déplace dans l'atmosphère à travers la trame faut bien quelque part un croupier pour pousser la roue l'inquiétante étrangeté je vais te dire ce que c'est simplement le pet voilà un événement qui a toujours l'air de venir d'un autre monde fragment d'oracle écrasé ne pas oublier que les prêtres de dodone s'appelaient comme par hasard les selles couchés sur le sol écoutant le vent dans les chênes marquant sur leur plomb tablettes des réponses agitées d'en haut bref l'esprit souffle où il veut quand il veut ce cher gazomaître mais il nous manque un espace feuillu téménos pour mieux l'écouter roucouler adouci léger en colombe alors juste après la douche une voix sortit des nuages et dit voici mon fils bien-aimé donc je reprends jamais on ne rit ni ne pleure ni ne pète sans l'aveu d'un dieu toujours le temps interminable fait

ainsi grandir le caché sombrer le montré inutile de
consulter les aruspisses ou les érospuces c'est pas dans
les poulets qu'tu trouv'ras jamais ton dossier mieux
vaut te taper une crise idiote en muichkine souvenir
d'la maison des morts qu'a-t-il écrit voici l'homme est
un animal qui s'habitue à tout jugement serré indiquant comment ils se cachent collés à la cicatrice
essayant d'entendre son circuit ourlé dégradé pas vrai
pan tout grand coureur de rivages danseur aigu du
mondain vas-y vas-y elles t'attendent les fraîches les
jolies les fleuries vas-y pan pan donne ta pansomme ah
la pansée pantomime en œil passion de typhon poteaux
brisés arrachés fauchés quelle java avec les pneus
firestone restez sur terre roulez plus loin avec shell sd
lisez intimité du foyer une fois vos volets fermés les
mordus d'la moto notre nouvelle enquête notre jeu
gastronomique chasse au snack détails sur nos dernières fusées je reprends au fond laïos a désobéi à
l'oracle qui lui interdisait de procréer mais comme
d'autre part il était pédé comme tout le monde et qu'il
est censé s'être oublié un jour dans une femme on voit
le programme à savoir qu'elle en a voulu précisément
de çui-là quitte à s'en débarrasser une fois né de toute
façon ce cercle devient vicieux de quelque côté qu'on
l'encercle ce n'est qu'un au revoir mes frères un au
revoir circulaire quant à toi rentre-toi la vue la voix les
oreilles le cu souffle à pattes redeviens tortue et voilà
tu flottes non ne regarde rien plonge bien la verità ger-
moglierà dalla terra e la giustizia si affaccerà dal cielo
pas sorcier y a qu'à compter sur l'équilibre immanent
blanc noir noir blanc et noir noir blanc blanc hier
demain après-demain dans mes mains pas ici hors
d'ici le putain le mourant et le moche aujourd'hui ainsi
je suis né de qui je ne devais pas je suis uni à qui je ne
dois pas j'ai tué qui je n'aurais pas dû et c'est donc cela

qu'on appelle un homme les lois nées dans le ciel siè-
gent sur les hauteurs aucun mortel ne les a engendrées
jamais l'oubli ne les endormira une grande force les
habite qui ne vieillit pas je gémis mon cri strident
monte de ma bouche il répétait ce cri et ne cessait de
frapper sous ses paupières le sang de ses prunelles
ruisselait sur ses joues non pas un suintement de sang
mais une sombre averse une grêle pluie de caillots
double deuil double malheur on reconnaît là le moment
spécifique où une fois sur dix milliards quelqu'un passe
par le détroit je demande qui a pu peut pourra embrasser ainsi sa mère profonde à la bouche et sentir monter rayonnante la triple et une jouissance celle du point
médian du milieu doré noces noces vous m'avez fait
naître puis vous avez fait lever à nouveau la même
semence l'image de l'homme a des yeux mais la lune
elle de la lumière douleur d'être de ce qui ne meurt pas
et que la vie jalouse bon c'est décidément le moment
de redevenir dauphin lui dans la profondeur de la mer
sans vagues ému par le chant des flûtes chant de la
nature dans le vent quand les nuages pendent par-
dessus l'émail en ce temps-là chaque être déclare son
ton sa fidélité la manière dont il tient en soi-même
ensemble seule la différence fait alors la séparation
dans la nature et donc tout est plus chant et voix pure
qu'accent du besoin ou de l'autre côté langue c'est la
mer sans vagues où le poisson mobile sent le sifflement
des tritons l'écho en croissance dans les tendres plantes
de l'eau viens visitons un peu l'aquarium draps volants
chat tigre anguille congre étoiles traits lents rapides
feuilles points bombés renfermés les visiteurs sentent
toujours que ce sont eux les prisonniers déplacés notre
malheur d'animal est d'être là tu vois eux n'y sont pas
une seconde derrière les vitres ils sont l'irisation la
noirceur le reflet non rentré du tour pas d'abîme

comme chez nous entre eux et la bouffe pas de cassure
en sein d'élément mais si nous sommes la négation
alors poursuivons entassons notre sanglante poussière
ah ces grecs bordel ce cinquième siècle avant jésus-
christ ou comme disent les autres pudiquement notre
ère je leur prends cette forme kommos dialogue du
chanté parlé qui dit mieux pour ouvrir les comptes pas
légende des siècles hein mais réalité durée mille après
tout péan veut dire guérisseur et j'ai l'impression
qu'on a besoin d'une sacrée dose pas vrai mon beau
ma bizarre si t'aimes le tourbillon fais-moi rond ce qui
nous manque ici c'est un masque et encore un masque
prétendre se présenter à visage découvert quelle folie
quand du front ivre une autre raison jaillit ce que
j'aime chez toi c'est que tu demandes ni où ni comment on arrive on part on revient et le feu tout seul se
relève moelle filtrée des cheveux aux pieds aï ayaï tu as
gardé ce halètement l'empreinte du fleuve miel submergé j'aime être l'instrument bandant qui te lance ce
n'est plus toi ni moi ni aucun ni rien quand l'éclat se
fait la séparation pressée l'autre au centre foyer divisé
montant étonnant pas vrai qu'on ait ce tir en nous-
mêmes dessous en dessous les images sous le gris
savoir mais comment font-ils pour se balader l'air
de rien que racontent-ils qu'est-ce que cette histoire
d'interdit en définitive y a donc le torrent happeur
c't'énorme pansement de conneries ça va durer encore
longtemps attention faut pas tout confondre ce qui
dure ne dure ne va pas chercher l'ordure du temps
voilà pourquoi l'inconscient s'en fout autrement dit
l'enveloppe allons mettez vos scaphandres coulez-vous
grenouilles ne demandez pas un roi oui je le redis les
bords du gange ont entendu le triomphe venant de l'in-
dus éveillant dans le vin les peuples de tout temps
pareil au vert des pins qu'il aime au lierre qu'il a choisi

pour couronne nuage couvrant la vallée béante combat roc oscillant bouillonnant et voici les heures se
mêlent dans un ordre plus audacieux et l'éclair des
sources retombe neige poudreuse mouvement devenir
tuyaux d'orgues et une étrangère vient vers nous cas-
sant le sommeil la voix façonneuse d'hommes car les
noms sont comme le souffle du matin ils deviennent
rêves tombent empoisonnent si personne n'est là pour
les comprendre viens donc feu nous avons soif d'assister au jour mais comment avance un fleuve comment
creuse-t-il blanc longtemps son passage que désigne-
t-il dragon sous son lit pourquoi est-il freiné comme je
le suis et pourtant il pousse taureau un signe lui est
nécessaire qui porte soleil et lune dans son cœur qui
pense déjà l'envers des parois si la roche appelle l'en-
taille et la terre le sillon et l'air cette buée de bruit qui
s'efface la grappe repose sur les feuilles fauves du vin
et souvent comme un incendie éclate la confusion des
langues la troisième vague encore plus violente donc
apprends à te dissoudre correctement écoute cette
leçon noire plissée enfoncée capte ce que dit ta rétine
les îles sont des prunelles où ces choses ont été écrites
avec la mer comme sol les montagnes et les volcans
comme tables et autour flottaient les navires bariolés
d'ulysse à la coque rouge et toi la verge et l'enclume
vulve en coin faucille ça te rend marteau le vert paraît
appelle les montagnes d'argent l'homme n'est pas un
loup mais un coup pour l'homme chaudrons tertres
tumuli fleuris j'allais me cacher là en été on disait
qu'ils étaient enterrés debout sur leurs chevaux avec
armes vases colliers ex-voto quel concert sous les peupliers frissonnants quel appel de gorge terreuse on dit
qu'ils restaient nus pour ne pas gêner les rayons du
corps faut-il en croire loxias avec sa cithare phébus
l'oblique doigts sur les cordes de la vigne au laurier

près des géraniums des figuiers oui restons encore un
peu par ici le désir ne se laisse pas saisir il flamboie
tout à coup dans l'ombre avec le destin des tribus ou
encore ce qui a mûri sous son front ne tombe pas sur
le dos car ses voies sont impénétrables ou encore la
pale de rame et gréé de lin l'abri de bois qui tient
la mer m'ont mené sans orage sous les brises ou
encore sur d'étanches navires à l'œil bleu foncé vogue
la chance de l'armée nocturne ou encore que jamais je
ne revoie le flot fécondant où s'exalte et s'accroît pro-
lifique le sang des humains en barque en barque là-bas
vite bon gré mal gré de force de vive force en route ou
encore quel bruissement quelle odeur obscurément
m'approche divine humaine semi-divine par des lois
neuves il gomme les anciens colosses ou encore au
fond de moi la convulsion le délire se rallument
l'aiguillon d'acier me pique voilà le souffle de frénésie
heurtant au hasard le courant hagard ou encore je sais
les messages dont il nous assomme en vérité les dieux
je les hais subir la haine de qui nous hait n'est pas
indigne et je suis malade si c'est l'être que de haïr ses
ennemis la haine est plus ancienne que l'amour que la
foudre tombe donc sur moi que l'air soit secoué du
tonnerre que la tornade ébranle les racines que les
flots de la mer embourbent les célestes parcours qu'il
jette mon corps au creux du tartare dans les solides
tourbillons de la fatalité il ne me fera pas mourir ou
encore qui donc sinon quelque invisible dans sa pres-
cience du sort a pu si bien accorder langage et destin
et nommer cette fille de guerre et de discorde hélène
car elle est la haine elle est la nième roue du carrosse
de la nullité ou encore aigu à faire dresser les cheveux
du fond de la demeure du fond du sommeil criant vengeance le rêve prophète soudain clame l'effroi s'abattant avec force sur la chambre des femmes ou encore

oyoï je scande les accents sur ma poitrine on peut voir à coups pressés multipliés l'élan de ma main qui frappe de haut de loin et sonore ma pauvre tête retentit de chocs ou encore voici le moment d'aller le visage voilé se cacher à pas furtifs et assis au banc de nage rapide de lancer ma nef sur la mer ou encore toi qu'enfante en se dépouillant la nuit diaprée et qu'elle recouche dans les flammes soleil soleil je le demande où suis-je qui ne suis-je pas ou encore allons et avant que le mal se réveille scelle d'un tenon d'acier ta bouche de pierre contiens tes hurlements pour accomplir dans la joie cet acte que tu n'as pas voulu ou encore œil du jour d'or tu luis te voilà sur les sources né des yeux tu triomphes désir la déesse invincible se rit de tout that's the end folks it was a paramount picture hellenic sunbeam couleurs by de luxe tout le monde descend où en étais-je ah oui on peut dire qu'un des problèmes de l'hystérique est d'unifier la femme sous l'idée grand-homme ce qui fait que le bal devient vraiment très chargé où était-ce à l'eldorado de temps en temps on découvre une petite assassinée dans les bois étranglée mais pas violée c'est des manies de notaire qu'est-ce que tu lis le dernier numéro de rhétorique y a un article du camarade trissotin mortel comme d'habitude regarde un peu cette photo des coureurs noirs en train d'se gratter les couilles pendant qu'on joue l'hymne pâle américain et la découverte de l'hebdo usa-urss love story pas mal non moi c'que j'aime c'est les japonais à pékin présentant leurs excuses pour les regrettables incidents du passé on en mangerait des époques comme ça qui a battu qui qui battra quoi qui n'a pas fait son qui ou son quoi y aurait comme qui dirait un plouf sous la base ça commence en tragédie ça finit en farce après les égorgements vient aristophane dès le quatrième siècle déclin puis quelques siècles puis rien puis encore quelques siècles ça repart toujours une couche ou une autre par exemple le bronze en orient puis le fer à charbon à cause des forêts d'occident et voilà dagda avec sa massue et le jeune lug avec son javelot et sa fronde porte de l'anwynn monde souterrain femme cheval venue par les steppes jambes nues croisées pubis agressif queue de poils balayant la terre hou ces cuisses nerveuses hou ce regard étant donné que la négativité est le tournant dans le mouvement du concept faut bien avouer qu'la plupart n'arrivent pas jusque-là je dirai même qu'ils ont une façon caracté-ristique de déraper sur les franges et pourtant dixit hegel souligné par lénine la négation de la négation est le moment le plus intérieur le plus objectif de la vie d'où sujet liberté et tutti quanti passages qui donnaient des cauchemars à staline idem pour les nouveaux tsars idem pour les camarades qui entrent dans la politique pour éviter certaines questions d'où conseil n'oubliez pas un rétroviseur dans vos bulles conceptions du monde je résume qu'est-ce qui est bouleversé depuis un siècle un le sexe deux l'histoire et trois quoi la sta-bilité mentale via la crise monnaie biologie glissade continentale en asie et dire qu'on appelle ça les stu-péfiants ah ah stupéfiés vous-mêmes y paraît qu'mao fume que des camels turkish and domestic blend mina-rets palmiers pyramides c'est vrai qu'il a l'air camé défoncé planant carapace ronde lune cuivrée reflet enfoncé dans l'eau plouf allez donc chercher la dia-lectique à c'te profondeur bonne chance retour en méduse ondulation des parcours le plus court chemin d'un point à un autre n'est jamais la ligne droite car si t'arrives trop tôt c'est trop tôt et tout d'suite après c'est trop tard bong le manque d'analyse t'envoie t'écraser en mongolie sanction de l'a priori un réviso voit pas l'unité du procès un dogmato en comprend pas la complexité voilà les deux pôles qu'on voudrait nous imposer pile ou face si vous y croyez ou pas c'est comme ça et en effet la plupart y croient tout à fait et pas du tout à la fois curieuse bascule enfin nom de nom combien de temps faudra-t-il pour vous assouplir l'envers dans l'endroit dans quel but eh bien respiration large matinée bleue léger vent de toi en toi pour toi vers toi-même formes découpées nettes néant accueillant thème général partout nulle part traversée des uns ou des autres communication élancée calme jeu des plantes excavations fouilles de type renaissance simple lutte entre ancien faux vrai nouveau disparition vapeur sang d'exploite plus de races de castes de famille à soi mais oui l'utopie c'est vous c'est pas moi réalité ou plaisir fini le faux choix avec peur d'la fauche manuel intellectuel dans l'intellectuel manuel dépérissement de l'état que veux-tu j'aime l'horizon où la pensée touche faucille étoiles cerveau dans la main enfin pourvu que la main reste ouverte que l'œil écoute que l'oreille voie nous sommes des bêtes des anges et plus simplement des atomes de bête et d'ange des comprimés résumés pschitt orange un réseau constant de lueurs nous sommes pelage marin glacier feuilles fourrures pierre vapeur plumes d'ondes et sur- tout la capacité d'annuler j'ai dit allons bon voilà qu'ça m'reprend l'marathon le coureur de fond je suis sûr qu'mon visage se déforme gonfle plus on s'approche et plus tout répond la nature est un temple où de vivants piliers commencent à remuer vachement si on s'y attache comme si on était dans un stade une arène foule dressée tendue fracas des voix pour l'image oui oui y savent tous de quoi il est réellement question sous ce masque ballon dans l'filet ligne d'arrivée trem- plin saut uppercut du gauche lente valse à la muleta dans le soir sableux voile fontaine rouge le piston du d'sous la limite entrée saccadée l'épée or le ressort n'est pas là pour ça que deviennent plus tard ces décharges pour être en forme faites comme les sportifs éliminez les toxines buvez vos cellules 24 h avant votre achat le poisson est encore en haute mer rentrez chez vous ascenseur cuisine entièrement équipée avec plaques électriques deux feux évier inox meuble sous-évier réfrigérateur chauffe-eau électrique salle d'eau moquette chauffage quelques-uns demandaient un peu plus de nervosité le nouveau modèle les attend consommation réduite pour embouteillages mieux que la pilule la mini-pilule 100 % d'efficacité lisez le plus court sentier de la femme à la féminité finalement qu'est-ce qui les intéresse bandes dessinées cocufiages cures de rajeunissement révélations enfants naturels on a pu prouver qu'hitler n'avait qu'un testicule de très mauvaises dents une haleine infecte saviez-vous qu'un gisement d'uranium au gabon fonctionnait il y a un milliard d'années comme une pile à l'époque pauvres de nous à peine si nous étions quelques algues voilà l'oxygène je tremble en pensant à hiroshima levez les bras à moitié tournez-les d'avant en arrière voilà oui et maintenant répétez avec moi j'ai plus l'air d'un con qu'd'un moulin à vent benedicat vos omnipotens deus oh jérusalem chanaan mésopotamie message post-hume son samas enuma elis oh l'indian sumer en cylindre ziqqurat super flumina babylonis tympanons sceaux briques démons lilu lilitu undat lili en moins 539 arrivée d'cyrus en moins 323 mort d'alexandre arallu arallu barque d'humuttabal elle dit tu comprends toi tu es dans la mort mais moi j'ai besoin d'un peu de chaleur je ne demande pas la lune simplement un morceau pour moi bien à moi pour toi c'est diffé-rent t'as tout eu viande habits voiture cinéma tu n'as jamais eu faim ou froid même la maladie est un luxe pour les exploiteurs possédants lettrés mandarins scribes alors l'idéologie du sacrifice hein mon œil les rites avec sang d'chevreau musique coït à pic en divinité ouais ouais à d'autres et pour nous qu'est-ce qui reste vague magie tassement signé dans le foie spéculation sur les astres les restes quoi incubes succubes main sur les lèvres aplatissement du nez claquement de doigts tu me fais rire avec ton hymne à istar son haleine est miel sa bouche est la vie c'est vieux ces machins ça vaut pas une soirée à l'alcazar avec les copains les balancements face à face l'pantalon moulant pomme d'adam on veut le frôlement sécrétion pas ta mort politique tout ça alors qu'est-ce que j'fais d'mon truc tu peux l'enterrer le brûler le foutre au tiroir du pareil au même ah bon et pourtant elle tourne à jamais dans le vieillissement des jours pour l'éternité pour le restant des jours que celui qui verra cette tombe ne l'abîme pas mais qu'il la répare l'homme qui verra cette inscription ne l'oubliera pas et dira il faut que je répare cette tombe le bien qu'il aura fait qu'il lui soit rendu qu'en haut son nom soit beurré qu'en bas sa pensée s'abreuve d'eaux pures émouvante névrose à travers le temps sogdiens saces bactriens ossètes mèdes perses toboggan tapis d'os débris d'océans yatha ahu vairyo vas-y gayomart laisse tomber ta goutte les chéris y croient s'débarrasser d'l'inceste en cachant l'tunnel oh oh on manque pas de prétentions par ici mais vraiment vous ne sentez pas une odeur un rien une paille un filet fumé personne n'a une lampe de poche rien d'meilleur que d'voir devant soi une face ahurie mazda was was dit la vache dans son pâturage was ist das warum on dirait qu'ils essayent de ramener le théâtre étiez-vous à percée police pas trop chiant pas rasoir non non fantastique civilisations superposées

216

symbolisme tous azimuts rien ne manquait même pas les exécutions d'étudiants je veux dire communistes bien sûr en rentrant nous sommes passés par athènes on exagère beaucoup sur ces colonels le pays a l'air pacifié tranquille les murs doivent être capitonnés en tout cas nous n'avons pas entendu un cri un soupir eh bien puisqu'on cause un peu voici ma nouvelle mille manifestants dans le quartier ouvrier de horta à barcelone contre le conseil de guerre qui doit juger sept militants ainsi va le monde bien mal et bien dans le mal souvenir de montjuich sous les lauriers-roses faïence bleu blanc des bordels rambla de las flores apéritif à l'oriente sardines sur la jetée près du phare qué bonitos ojos tienes oh mais tu chantes juste avec ça toute fleurie transparente rond de sueur sous les bras le mot parpadear où est-elle ce soir en argentine au chili elle voulait voir les andes on en discutait après la réunion je connaissais mieux qu'elle la guerre civile où pourtant son père avait été fusillé évidemment toi avec ton passeport donnez-moi les papiers je les passe en douce hasta luego adios c'est elle qui l'a proposé dans les jardins sur un banc en bas le port lumineux souffle long grenade toujours toujours l'histoire est mêlée à une saveur à un bruit cela dit faudrait quand même purger un peu l'atmosphère moment venu de l'effort inverse nage à contre-courant pour y voir plus clair la pureté aussi a son charme le plus comique c'est qu'on s'ra bientôt en train d'la défendre comme un vice degré aéré super allez sursum corda visibilium et invisibilium be puck allora tu sei l'angelo della morte pourquoi pas regarde comme c'est bien peint alberegno seconde moitié 14e j'aime les ciels bleu d'or comme ça feuilletés voilés nous sommes ici dans un temps à la fois linéaire cyclique infini fini avec transfini donc limité dans illimité deux cadres père baise fille donnant fils qui attaqué par deuxième principe meurt et féconde sa mère le mal n'a pas l'espace mais seulement une moitié du temps c'est en vain que la druj essaye de freiner les astres à la fin vient hic nunc qui allège un peu le tirage tout ça postlogique au dernier degré mais chut entend qui veut sous la page o voi ch'avete l'intelleti sani n'oubliez pas que nous avançons un bandeau sur les yeux dans cette mer d'encre la plupart des rêves vont plus vite que l'analyse et le sens maintenant est tellement enraciné dans la terre qu'il faut une violence égale pour le soulever tiens voilà le vieux qui s'amène il vient tous les jours sous ma fenêtre bien entendu il ne sait pas que je suis là et même s'il le savait il ne saurait pas qui je suis mais qu'est-ce qu'un vieillard sa frondaison se dessèche il chemine sur trois pieds et pas plus fort qu'un enfant tel qu'un songe en plein jour il vague le voilà donc avec son chapeau son écharpe sa canne on dirait un lion maigre transparent d'albâtre un profil d'écume il salue un instant ses cheveux flottent près du canal il s'assoit commence à tripoter ses mains ses veines comme des fourmis dans une fourmilière détruite voilà il regarde en douce froid rusé déphasé quel os quelle peau séchée et dire qu'un type comme ça a été fasciste l'envers des folies l'erreur faut dire qu'on est vraiment aux antipodes au soleil moi à ma table et lui en contrebas sur sa chaise drôle de scène avec l'histoire dispersée partout la ville s'enfonce lentement les balcons pourrissent la pierre est rongée barbe grise je le vois sous sa bâche en cage à côté de pise comptant les hirondelles sur les fils souvenir d'guido d'arezzo ah le chinois eh oui le chinois aujourd'hui même les journaux publient une photo de mao recevant les japonais après 35 ans de guerre hostilité séculaire il offre au premier ministre poète médiocre genre forêt d'automne les dix volumes

reliés de chu yuan 3ᵉ siècle av. j-c sous-entendu lisez
ça vous f'ra faire des progrès assis flottant souriant
absent comme sur un nuage derrière lui les tiroirs
fichiers étiquettes sur la table les livres qui gênent les
diplomates le petit crachoir en faïence la tasse de thé
n'empêche que les cantos pour ici sont une sacrée date
dommage qu'il ait pris john adams pour marx les
poètes sont faibles en économie politique ils mélangent
tout exagérations intuitions mais du sel alors voilà
on écoute on distingue les apparitions les briques le
bateau vermillon les murs d'ocre et les rides de l'eau
on est comme sur une corniche du purgatorio avec
géraniums vent léger présages discrets et l'éternel me
dit passe vite and the thrones remember'd me glissent
les remorqueurs tombent les heures ce n'était pas
l'usure qu'il fallait attaquer mais la plus-value sans
quoi régression fermeture du bas-ventre thorax raide
on dirait maintenant qu'il va rentrer directement dans
les murs le ciment dans le blanc du bleu sous les
mouettes vom vom des sirènes air d'eau air d'eau courant d'eau on dirait qu'il y a des ailes contre les
façades parmi les filins les mâts autour des bouées
penchées bois ton café vieux chanteur bois ton verre
d'eau fraîche de nouveau il a ce geste avec ses mains
décharnées de nouveau il jette un coup d'œil sur une
ou deux femmes trois pigeons deux chats sur le tra-
ghetto et les anges là-haut tenant leur roue dans la
niche église devenue administration de la compagnie
dedalus entre le pétrolier providentia de monrovia le
transat appolonia d'athènes l'adriatique est une tache
de lac dans la mer un glacier immergé coupant froid
miroir le retournement des côtes les idéogrammes se
tracent brouillés sans poignets un étudiant déplie lotta
continua près de lui quel raccourci sans paroles est-il
gai angoissé la prunelle figée en radar ou complète-

ment out dans l'oubli mystère point dans l'ombre tête lumière alors on aurait deux crânes pas exactement mais tu sais bien que nous n'habitons qu'un versant et encore une part du versant et encore à peine un lacis un œil sur la pente c'est sensible parfois au réveil tu t'endors tu rouvres les yeux comme un nain battant sa campagne au-dessus de toi le tapis planant d'un géant d'où légende à titans peut-être mais qu'est-ce qui nous éjecte nous tient hors courant un nœud une paille un piment qu'est-ce qui nous endort dans ce coffre-fort vagin cave là-dessus pensée d'un autre aquilin fendu critique mais ferme retourné dedans il sent le savoir mûrir en squelette comme un vin rabbin doux glacé enfermé dans l'ancienne torah avec ses rouleaux sa housse fond de velours brun tiare d'or et dionysos aussi dit-on portait une mitre évohé nysaios le cri des bacchantes danse au flambeau pour courir l'cosmos et hypnos qui s'plaint j'peux pas l'approcher j'peux pas l'endormir donc d'où ça vient cet engorgement cette hypnose ève tronc serpent bouche pomme con couvert de feuilles main fruit vers adam de dos renversé baisé les voilà chassés sous les arbres c'est vrai qu'elles en savent plus mais alors allez-y dites-le qu'on reprenne ça si on peut quel travail pour se coucher propre dans des draps propres sentir sa nuque à colonne acceptant le rien dans ses reins pas une âme à travers l'église des bouquets d'bougies comme partout ailleurs c'est l'encens billets griffonnés soucoupes eau bénite les journaux du coin famiglia cristiana odeur de cire fleurie des enfants chantent sa gloire dans le style pop ils ont l'air de s'amuser avec le curé ça persiste alors on n'a pas le choix entre la force et le refoul'ment la zébrure et le sparadrap le sang et l'écorce que serait la forme découpée vidée emportée mais au moins affirmée deux fois ils se rendent pas compte qu'ils disent que l'identité est une différence en marquant simplement que l'identité est différente de la différence sans quoi restez dans les éléments personne n'en demande autant personne n'oblige personne à saisir l'un d'eux en cadence prego scusi por favor et au nord tu crois pas qu'c'est mieux pour l'anesthésie sûrement chacun pour soi la porno pour tous god save the queen carnets de princesses observe qu'on est obligé de défendre un écrivain religieux en urss soupir de l'âme opprimée naturalisme remake tolstoï sans passions la bourgeoisie espère que ça évoluera dans ce sens c'est d'ailleurs probable clientèle énorme pour naturalisme l'important pour elle est d'imaginer qu'on est avant 14 qu'on reste dans le 19e à tout prix sans quoi où va l'homme leur théorie fend les nues mais leurs corps patinent dans le roman belle époque remarque je dis tout ça sans crier dans le cours pressé du reflet étrange qu'on néglige toujours en pensée qu'une photo doit passer par son négatif y a là d'après moi un signe bondira bondira pas le monde a-t-il une volonté une représentation ou joue-t-il plutôt de la flûte jamais les savants ne reconnaissent une correction de base s'ils ne l'ont pas faite eux-mêmes il faut que naisse une nouvelle puis une nouvelle génération et déjà la production suit son cours le patron les mains dans les poches engueule ses ouvriers on sent qu'on est au lendemain d'une grève et pourtant la télé partout la biologie la chimie oui mais pas d'sujet pour en faire vraiment son dîner alors t'écris dans une question non posée exactement d'où l'effort et la gymnastique mais aussi la fenêtre ouverte salut munich madrid copenhague vienne oslo immediate boarding salut à bientôt je retourne en ville j'ai la pensée par hasard que la couleur pense par elle-même efface le geste qui consiste en un poing fermé de couleur puis j'arrive cavernes grottes stalactites stalagmites fontaines geysers il ne faut pas vendre la peau de l'ours vue des alpes tirée vers sommeil est-ce que tragédie vient vraiment de ôdè chant de tragos bouc achetez notre édition luxe dorée sur tranche de ce livre populaire les misérables ils l'avaient tous sur leur table de chevet catherine de médicis napoléon hitler staline ils ont crié leur admiration pour le prince de machiavel césar borgia prêt à tout je reprends donc l'enfer a une porte de fer et un seuil de bronze ce qui prouve bien qu'il était pour eux la figuration du passé formes pâles tremblantes pas du tout enviables hadès le riche pluton qui nous reçoit tous autrement dit souvenirs foireux aucune valorisation de l'enfance alors que nous ça chaufferait plutôt par-derrière en dernière analyse il ne se passe rien d'autre que la liaison avec le soleil floraison brûlure aspir expir au fond la vallée brumeuse contreforts de bronze acéré crêtes moraines lacs jade nous en sommes là tout juste volant au-delà j'ai avalé une fameuse gorgée de poison et alors rien des lunes blanches des lunes noires un autre sens des distances bras plus long dans l'œil attention ne fumez plus attachez vos ceintures envoyez ça par télex nouveau moteur injection donc le vieux ouvrait et fermait les mâchoires lynx tacheté au bord des falaises pourquoi étudier quand passent les blanches ailes du temps qu'il est doux le mont taishan où la mer est tirée de l'oubli hors de l'enfer l'abîme hors de la poudre et de l'éclat du mal couche-toi dans l'herbe à 30 m au-dessus de la mer à portée de la main du coude cristallin à l'envers de l'eau transparent sur un lit de cailloux communiquer s'arrêter voilà la loi du discours aller loin finir simplex munditiis comme la chevelure de circé les graines de la mort traversent l'année semina motuum brillaient les yeux non masqués dans l'espace au milieu du masque les nouvelles mettent longtemps à courir à tra-

vers la translucide ignorance des lieux omnia quae
sunt lumina sunt from the colour the nature and from
the nature the sign paraît qu'il est resté ainsi d'excel-
lente humeur pendant tout l'été 45 obtenant le droit
d'utiliser le soir la machine à écrire de l'infirmerie
après quoi il travaillait sous sa tente et le ferraillement
de la machine attaquée par l'index était ponctué par
un bourdonnement aigu qu'il lançait au coup de sonnette à la fin de la ligne il était de plus en plus déprimé
un soir je lui empruntai un de ses livres chinois ne le
perds pas rends-le-moi demain matin me dit-il c'est
ma chair et mon sang tous les autres pratiquement ont
eu la migraine pull down thy vanity i say pull down
mais qu'est-ce qui vous relie à la vie du moment que
vous avez rejoint la certitude de l'incertitude rien ne
me relie à la vie simplement j'y suis plongé non ne
vous excusez pas vous appartenez au cosmos vous par-
ticipez donc à sa minuscule parcelle de vérité moi par
contre je ne suis plus je ne suis plus quoi je ne suis plus
j'ai perdu le pouvoir d'atteindre ma pensée avec des
mots je voudrais expliquer je je je mais tout est si difficile tout est si inutile à mon avis on dépense des milliards pour étouffer dix-sept passages de l'histoire que
les copistes du moyen âge et des époques plus récentes
ont eu la stupidité de laisser passer par rapport au
confucianisme on peut ramener le christianisme à un
seul commandement tu te mêleras des affaires d'autrui
avant de régler les tiennes le fric la roue des impôts
plus facile de peupler l'enfer que le paradis pas vrai ou
alors certains mouvements inattendus un vol de phos-
phore évaporation des atomes après l'air filtré on n'est
jamais assez simple là là vraiment simple là suspendu
les courants mêlés so he spoke and the river-god at
once stopped his stream held back his waves and made
the water calm before him and brought him safely to

the river-mouth voilà elle me regardait sans cesse et elle dit téléphone-moi et moi tu me plais et elle mais tu ne m'as jamais vue et moi mais si tous les jours par la fenêtre et elle ah non tu ne m'as pas vue tu m'as vu travailler réponse mais je voulais qu'elle me surprenne couvert de savon et bandant pour elle de sa manière de tourner la tête et d'y revenir aimantée avec l'ennui c'est normal n'empêche que la première question est un rite alors t'es marié euhfm t'es marié passons ça m'rappelle que ma grand-mère à quatre-vingt-dix ans aveugle ne quittant plus son fauteuil racontait encore comment il mettait son alliance dans un tiroir pour aller danser le samedi soir mais en tout cas il n'a pas mangé mon argent ça non un escrimeur comme lui qui avait tiré devant la reine d'italie et puis les chevaux de courses fallait tout d'même la dose pour mettre ensemble deux frères et deux sœurs les faire habiter dans deux maisons symétriques chambre à coucher contre chambre à coucher est-ce qu'ils s'entendaient à travers le mur tout ça est passé maintenant comme la moyenne industrie westminster cette banque les a eus en définitive rasés les acacias magnolias sapins marronniers palmiers un trou noir dans le paysage et dessus un supermarché avec parkings néon dix étages ça m'oblige plus d'une fois la nuit à reconstituer certains coins comme qui dirait en rêve un pied après l'autre je reviens toujours du même côté près des vérandas sous la neige ou l'odeur de l'herbe coupée ou le poulailler probablement forts investissements sexuels auf wiedersehen kleiner hans nous sommes dans ce fourreau en réalité c'est la vie de tous et aussi ma vie qui de temps en temps traverse la scène ce n'est pas moi qui choisis l'articulation la pression et n'oublie pas l'expression c'est son portrait tout craché elle en vaut la peine maintenant ils disent 1920 c'était une querelle beaucoup d'eau a coulé sous les ponts voyons ce congrès de tours au fond on était d'accord photo d'ho chi-minh levant sa carte de délégué depuis l'asie s'est pressée quelle chute quelle cascade or qu'est-ce qu'une famille des slips des cols des mouchoirs maman pourquoi les p'tits bateaux qui vont sur l'eau où sont les berceuses une façon de sauver les meubles le problème du français dit-il c'est pas d'extériorité l'hexagone et maintenant sous prétexte que l'un d'eux a écrit toute l'écriture est de la cochonnerie ils sont persuadés que toute cochonnerie est de l'écriture con cul bite couilles muqueuses giclures merde vulve sang étron ça n'arrête plus chacun nous envoie son bocal maintenant au laboratoire on n'a plus assez d'étiquettes y a dans l'organe quelque chose qui les épate refoulement boucherie new-look conséquence gonflements dans le dégueulis l'harmonie devient hors de prix ces jours-ci tu comprends l'ennuyeux c'est qu'on peut pas sauter un mot une ligne d'une part on peut pas lire d'un trait d'autre part on peut pas s'arrêter tu crois pas qu'il faudrait des blancs des chapitres ça m'rappelle l'histoire du type qu'est en train de baiser une fille sur la voie ferrée arrive le train la locomotive stoppe au dernier moment le mécanicien crie et alors et le type répond ben quoi c'lui qu'a des freins y s'arrête comme si la pulsion était pas constante comme si y avait l'temps de mettre virgule point-virgule et tout le bazar comme si ça transmettait pas 24 sur 24 c'est à vous de vous transformer chacun son fossé ah encore une chose franchement le retour du lyrisme bon enfin il est étonnant ce type simple virtuosité au fond pas grand-chose genre stravinsky passage en spirale d'un genre à un autre capacité de plagiat l'authenticité est quand même autr'chose non je voulais dire tous ces ah ces oh là je ne marche pas le vocatif n'est pas convaincant

même ironisé c'est usé bref vous voulez pas d'épopée
cqfd tu connais celle de l'arroseur baisé baiseur d'arrosé
oui chuchotez phallux et l'air s'ouvrira jour j heure h
minute m seconde s instant i temps t vitesse v ddx visi-
bilité assurée tous emplois mivta miktav mahshav et
tout cela t'arrivera après avoir jeté au loin tablette et
plume ou après qu'elles t'auront échappé à cause de
l'intensité et sache que plus le flux sera fort plus ton
rôle intérieur et extérieur sera faible sois prêt à ce
moment à recevoir consciemment la mort puis retourne
aux conditions du corps lève-toi mange une odeur
agréable jusqu'à la prochaine fois mevin daatan deve-
kuth et voici que les lettres prirent à mes yeux la forme
de grandes montagnes un fort tremblement me saisit
et je ne pouvais plus trouver de force mes cheveux se
dressaient ce fut comme si je n'étais plus de ce monde
et voici qu'après être tombé quelque chose comme un
discours s'échappa de mon cœur vint sur mes lèvres
tout ceci arriva donc à votre serviteur à ses débuts
j'ajoute que dans l'accomplissement du bond on doit
placer les consonnes que l'on est en train de combiner
dans un mouvement rapide et plus loin est la flamme
de l'épée qui tournoie la pointe prenant la place du
manche il me semble que c'est cette forme qu'ils appel-
lent revêtement malbush et les lettres 'otiyot viennent
du verbe 'ata venir procès des racines feu huile éther
combien sommes-nous à la porte pourquoi une porte il
y a ce feuillage brusque entre la question et nous le
vent la réponse ayant ainsi parlé le dieu aux rayons
clairs tire du sol une herbe qu'il m'apprend à connaître
avant de la donner la racine en est noire et la fleur
blanc de lait molu disent-ils mais vas-y mollo ce n'est
pas sans efforts que les mortels l'arrachent mais les
immortels peuvent tout affaire de nectar de crème puis
il disparut dans les bois et j'entrai combien de pensées

bouillonnaient dans mon cœur combien de paroles ailées voulant sortir de mes dents serrées et alors j'eus le droit de faire tinter les images aurore doigts de rose voiles de safran ou berceau de brume et arès dit vite quel plaisir de s'aimer héphaestos est en route et voilà le désir du lit prit la déesse à noter que l'épisode de la délivrance des guerriers changés en porcs dont ils ont la tête la voix et la soie est lié à l'affranchissement des esclaves comme quoi tout se tient malgré les contours je ne sais pourquoi le soleil maintenant tombe et se lève de façon que j'aie nuit jour en simultané bruit bétonneuse brise la lumière nous parvient mélangée plus loin dans le four la vérité qui sort du coït c'est quand ça divise au-delà mais quoi au-delà oui d'accord rien d's'pécial mais le vide veut et ça vibre le huit lâché du retour bras posé sur la jambe coude main joues pieds genoux c'est dans tes cheveux que ça joue miel cuivré doré chaud frais sous les arbres encore les gâteaux coup d'pot d'aborder pour soi l'génatal d'ailleurs le fœtus avancé chez qui le cerveau se structure rêve plus que l'adulte et le maximum correspond à la période de maturation qui suit immédiatement la naissance allez-y vous verrez du treizième jour de la vie embryonnaire au quatorzième après l'expulsion s'effectue une migration des précurseurs des graines lesquels arrivent au niveau des cellules fibrées puis les dépassent les sots dit démocrite craignant la mort désirent devenir vieux le croirez-vous eh bien ma boîte grandit réellement page à page il faudrait arriver d'un coup d'aile au-dessus des pics à la bulle en fleur appelée asie enstase disent-ils pas extase et moi je corrige c'est pas plus dedans que dehors vu que l'in est depuis longtemps out lorsqu'il rentre et quand même soyons plus précis rien dedans rien dehors pas plus de mains que de poches premier anus rouge quatre pétales carré

centre trou queue deuxième sexe orangé six pétales
croissant de lune troisième bleu dix pétales trio rouge
sombre quatrième dans la région du cœur résonnant
d'un son bien qu'aucun instrument ne s'y trouve air
rouge douze pétales d'or sceau salomon cinquième
dans la gorge brun seize pétales disque blanc sixième
front d'œil lotus deux pétales triangle centre blanc
trou queue rappel du premier arrivée mais bien entendu
un en plus sur la fontanelle l'occiput en fin de moelle
épinière mille pétales oiseau fleuri renversé regardant
de haut le sommet un peu beaucoup passionnément
pas du tout violet foudre alors qu'est-ce qu'on attend
on y va chacun sa brochure comment distinguer le
spectateur du spectacle lamvamramyamham splash
c'est comme ça qu'on casse bon alors je pars demain
pour bombay raconte un peu fais-nous un article allô
comment vas-tu pas bien quel genre c'est moi qui
cloche en un sens c'est fou avec tout ce qu'il y a à
écrire à vivre simplement en laissant courir côté sujet
appendices discours l'ennuyeux c'est qu'il n'y a plus
de critique faudrait retrouver aujourd'hui la rapidité
marx-engels une goutte d'eau peut faire déborder un
vase oui mais tu ne peux pas remplir l'autre vase sauf
qu'il y a ce moment où le flot déborde occupations
fourmis barricades ça mérite de brûler un peu cageots
panneaux signaux et autos tu te souviens comme on
s'embrassait au petit matin brume près des quais après
l'incendie et les flics passent ils tapent sur le capot
alors on est pas invités tu t'rends compte s'ils avaient
demandé d'ouvrir le coffre moi j'me faisais passer
pour infirmier je franchissais comme ça les barrages
en tenant l'poignet d'un mec sur civière fallait démarrer fusée devant les charges étonnant quand le pouls se
cherche à travers les rues les manifs et maintenant
pour la plupart c'est l'exil interne salut ici il fait beau

l'europe est décidément trop froide pour mon tempérament ou encore je crois que je vais commencer
l'analyse chérie je t'écris avec un stylo qui brûle je ne
t'ai jamais assez dit à quel point le vice est ma seule
passion cratcher à la moindre occasion à la moindre
pente chaque fois ça souffle du côté gonflé par chaque
intervalle chaque fente regarde bien ce mot chaque
chac chac ma folie aujourd'hui c'est partout où c'est
vu voyant vu parlant parlé nu ému cuisses pieds fuites
d'ombre encore jamais assez encore et le volume se
fait loin près dégagé donc ma main brûle et mon
papier brûle ouvre-moi que j'dise vraiment laisse-moi
toi moi mais je m'énerve dans les mots mes mots dans
les mots combien d'oxygène dépensé pour rien mais
non pas pour rien la raison est là double entrée miroir
biseauté voici les raies plus creusées deux points courants d'ondes quelque chose a été fermé au départ
donc arrivée départ arrivée les taches sont le code ou
la poudre abîme blanchi étalé furieux alors on vient
crever là nous aussi ponctuation avalée inde non vult
nisi cum transierit videri posteriora sua ut in ejus
resurrectionem credatur en toutes lettres par le postérieur l'antérieur res intentio memoria interna visio
voluntas tua trois par trois mens notitia amor mea
doctrina non est mea quand il viendra il ne parlera pas
de lui-même mais tout ce qu'il entendra il le dira je te
couvrirai de la main quand je passerai puis j'enlèverai
ma main et tu me verras de dos sous ma faux donc le
serpent représente la mort au désert effet cause et la
verge grouillant de serpents c'est lui dans la mort mangeant et le serpent redevenu verge c'est encore lui
vivant revenant je répète il ne parlera pas de lui-même
mais tout ce qu'il entendra il le dira augustin scrip-
sit 399 avec une seule allusion à la musique viens suis-
moi n'aie pas peur viens près de l'eau tu entends ces

échos rondes sarabandes appels du veilleur vibrato peut-il exister ce monde percussion libre pourrons-nous finir jetés bombardés écoute même toi il te faut six heures de sommeil sous machine comment penser le repos plaisir quand ça craque au fond j'aimerais mourir dans les madrigaux écartant à demi les lignes quoi encore un caillot un filet un hoquet mariné de sang voilà détends-toi laisse couler c'est cadavre simple tu comprends la plupart s'affolent se crispent ça leur saute partout dans la gorge quand leur cœur accroche en tacot on dirait qu'ils vont cracher des dents de syllabes donc il ne parlera pas de lui-même mais tout ce qu'il entendra il le dira l'évidence même la jouissance la mort peu profonds ruisseaux finalement je te donne pas la main parce que je te désire et que je joue pas avec mes désirs alors les yeux et pas la main voilà c'est comme ça bleue blonde diction toute allure bien entendu si on avale ça prend du volume souviens-toi hydrophile madère hydromadaire et la pomme ça marche tout seul donc le petit déjeuner demain à dix heures et maintenant je vais te demander de partir parce que je suis pas de sel complètement saoul elle avait six yeux quatre plus deux le whisky ashes vraiment ce mélange je m'demande ç'que ça peut donner la corbeille de fruits beata virgine pour chœur et orchestre je dis sympathie je dis amitié ça n'arrive pas tous les jours le fait de sonner lui avait fait dire un truc genre en pleine nuit c'est la gestapo un lambeau de rêve et moi ça vous rappelle quelque chose et elle non et moi quelque chose dans votre famille et elle non et moi quelque chose qu'on vous a raconté et elle non non et voilà on arrive forcément au rebord et elle dit ah c'est bien une réflexion de goy on peut aller vite au centre dans toute situation et alors silence à un de ces jours au revoir il faut essayer de ne pas choisir j'atteins ici le point zéro résistance juste après ce serait quoi perpetuum mobile alors quoi tu fais de la littérature d'évasion mais non d'invasion ça vous fait chier pas vrai qu'on s'balade qu'il y ait un sujet pour ça passeport à quelques exceptions près il est vrai je les aime ce qui m'amuse le plus c'est de voir le penseur devenant chien-chien sifflé par maman ça ne rate jamais viens ici roucoucouche ils croient toujours être au-dessus en face au-dehors pensant qu'on peut récrire même la divine comédie ah si le fils n'obéit plus où va le vieux monde est-ce que les diplômes auront la même valeur et nous alors où est-ce qu'on s'met si le langage commence à rouler machin apportez-moi ce que vous avez là sur vos genoux qu'est-ce que ça veut dire j'en parlerai à monsieur l'proviseur vous me copierez cent fois le rythme est un démon inférieur mais monsieur si le général se rapporte à lui-même il s'enflamme la négation qui forme le fond de la cause est la rencontre positive de la cause avec elle-même et d'ailleurs l'action réciproque étant la causalité la cause ne s'éteint pas seulement dans l'effet sortez petit insolent ta gueule vieux schnock le pôle nord du monde phénoménal est le pôle sud du monde en soi qu'est-ce que l'un une limite éliminatoire et lénine le dit sobrement la pensée doit embrasser toute la représentation et pour cela doit être dialectique à savoir divisée en soi inégale altérée j'ai soif qu'est-ce que tu préfères les pieds dans l'eau ou le feu partout des bouts de seins sortent de la peau débouchant les pores des points noirs abcès farineux bites jarrets tendus tendineux ek ce goût étouffant pâteux dans les bronches ce pus lait pourri sperme aigri et maintenant voilà sur l'épaule marquée en coulisse ces algues de sang pattes découvrant le tuyau usé entamé mais ça va claquer en trachée le moteur est foutu d'artère je rêve l'aorte là je sors je sors pas qui

coupe le cordon jet d'urine qui tranche se défile reste
ou devient mais qui oh qui donc toujours le même truc
alors on y va ça marche on finit de nouveau germé
dans l'baisé pompe à merde sanglant baisé fissuré
traction carré d'atout maître bordel me voilà funèbre
encore une fois dans le puits ça va pas recommencer
non de profundis veiné cave eh oh j'en appelle où est le
bouton affirmatif vite viens ici mon seul que j'te sélec-
tionne alors tu l'as tu l'as pas en tout cas confrère on
l'est pas et comme ne cesse de le répéter le grand syl-
logisme de l'hystérique loi marée sublunaire je l'aime
or je suis lui donc il est mort à l'aube il se traîne jusqu'à la salle de bains bref regard dans le miroir les
toits se colorent quelle nuit sur les rames quelle barrique j'en ai assez assez ou alors courage de vouloir
aussi cet assez à l'extrémité en une demi-seconde c'est
la tentation gorgée crue car il est exclu de s'exprimer
ici dans la conférence allume non ouvre le gaz non
saute allez vas-y donc saute non avale tout ça non et
non le couteau non les lames de rasoir dans l'eau
chaude non c'est l'moment où t'es la ration tu vois le
quartier de viande comme on l'oublie pas vrai cette
barbaque de jour alors j'ai dit bon ça va je joue ma
coupure la voilà j'arrive je la pose sur le tapis il y eut
un moment de vertige l'assemblée retenait son souffle
quelques femmes vinrent me palper la masse de vraies
somnambules cependant le malaise grandissait à vue
d'œil n'importe qui aurait donné n'importe quoi pour
qu'éclate un torrent d'orage et un type se lève et commence à chuchoter de plus en plus fort selva oscura et
moi je pense allons bon c'est ça il faut tout reprendre
donc je reviens dans mon lit mais l'autre est resté
courbé sur le lavabo la tête sous l'eau et alors je cadre
bon soleil couché corps couché pensées couchées sous
la voûte terre feu d'air couché ite tissa est double ciel

couché poussière grains lumineux bonsoir je suis crevé pas toi mais ça marche pas je reste suspendu et ça tourne je ne sens plus rien ni mes mains que dit amos les jours viennent où j'enverrai la famine et ils courront d'une mer à l'autre depuis l'aquilon jusqu'à l'orient sans rien trouver ni entendre et je frapperai la maison d'hiver avec la maison d'été et les palais d'ivoire seront détruits le bruit de ses paroles était une multitude traumgedanke un temps des temps une moitié de temps après nous ça ira moins bien mais tant que nous sommes là ça ira que dit isaïe je me suis tu pendant longtemps j'ai été dans le silence je me suis retenu mais je crierai comme une accouchée je détruirai j'engloutirai tout que dit jérémie informez-vous pour voir si un mâle enfante pourquoi donc ai-je vu tout homme ayant ses mains sur ses reins comme dans une grossesse pourquoi tous les visages sont-ils maintenant jaunis ce qui bouge c'est la série timbres par exemple en 1909 six pièces pour orchestre opus 6 roman bref soupir klangfarbenmelodie klangmomente et vous voudriez que la tonalité continue non mais lueur projecteur courant de toutes les lumières ensemble il t'enveloppera te transportera te fera rouler vite comme une boule dans un pays large spacieux et la terre sera froissée remuée piochée et chaque forme aura sa loi dans les bois the west shall shake the east awake fantasy funtasy on fantasy amnes fintasies rien d'nouveau sous le ventricule alors ils fumèrent et chacun devint ce qu'il était le doux doux le virulent violent l'incertain certain le douteur fouteur et ils eurent l'impression de pêcher la truite quelque part sur les hauts plateaux tout en ramassant leur ethnique et la femme fit l'homme défaisant la femme et leur méli-mélo s'enclencha et la roue fut là rayonnante et les récifs s'aplanirent les volcans se turent les fleuves se rengainèrent et il retrouva sa chanson en combinaison la nature condensée dans son p'tit sixième allegro ma non troppo aéré cependant l'alerte avait été chaude conclusion ils décidèrent de souffler un peu histoire de monter d'un poil les reliefs moralité on ne va pas plus loin que la plante d'immoralité ou encore j'ai trouvé la clé dans les champs contents d'la traversée mecs contents du courant les filles faut avouer qu'on y perd du poids sous mimique kilusu kilucru kiluentendu avec ça le calme descend dans les cendres feu couvant sous langue on est pas chez soi et il enlèvera l'enveloppe redoublée des peuples la couverture étendue sur toute nation nous avons conçu nous avons été en travail mais nous n'avons enfanté que du vent c'est pourquoi va entre sors rentre ressors ferme-toi sur toi cache-toi de toi hors de toi reviens sors rentre vite et si la voix crie tombant d'hydrogène alors que crierai-je crie-lui toute chair est comme l'herbe l'ombre la rosée du temps dans les voix

DU MÊME AUTEUR

Aux Éditions Gallimard

FEMMES, roman (Folio n° 1620)

PORTRAIT DU JOUEUR, roman (Folio n° 1786)

THÉORIE DES EXCEPTIONS (Folio Essais n° 28)

PARIS 2, roman (Folio n° 2759)

LE CŒUR ABSOLU, roman (Folio n° 2013)

LES SURPRISES DE FRAGONARD

RODIN. DESSINS ÉROTIQUES

LES FOLIES FRANÇAISES, roman (Folio n° 2201)

LE LYS D'OR, roman (Folio n° 2279)

LA FÊTE À VENISE, roman (Folio n° 2463)

IMPROVISATIONS (Folio Essais n° 165)

LE RIRE DE ROME, entretiens

LE SECRET, roman (Folio n° 2687)

LA GUERRE DU GOÛT (Folio n° 2880)

LE PARADIS DE CÉZANNE

LES PASSIONS DE FRANCIS BACON

SADE CONTRE L'ÊTRE SUPRÊME, *précédé de* SADE DANS LE TEMPS

STUDIO, roman (Folio n° 3168)

PASSION FIXE, roman (Folio n° 3566)

ÉLOGE DE L'INFINI, essais

Dans la collection «À voix haute» (CD audio)

PAROLE DE RIMBAUD

Aux Éditions Desclée de Brouwer

LA DIVINE COMÉDIE

Journal

L'ANNÉE DU TIGRE (Points-romans n° 705)

Essais

L'INTERMÉDIAIRE

LOGIQUES

L'ÉCRITURE ET L'EXPÉRIENCE DES LIMITES
(Points n° 24)

SUR LE MATÉRIALISME

Aux Éditions Grasset, collection *Figures (1981) et aux Éditions Denoël*, collection *Médiations*

VISION À NEW YORK, entretiens (Folio n° 3133)

Préfaces à

Paul Morand, NEW YORK, *GF Flammarion*

Madame de Sévigné, LETTRES, *Ed. Scala*

FEMMES, MYTHOLOGIES, en collaboration avec Ericn Lessing, *Imprimerie Nationale*

Composition Interligne.
Impression Société Nouvelle Firmin-Didot
à Mesnil-sur-l'Estrée, le 6 août 2001.
Dépôt légal : août 2001.
Numéro d'imprimeur : 56348.

ISBN 2-07-075743-9/Imprimé en France

93591